1001 BLAGUES

LE COMBAT DES SEXES CONTINUE !

LES ÉDITIONS

POP

© Les Éditions Pop
Quatrième trimestre, 2010

Graphisme et mise en pages :
Joannie McConnell

Imprimé au Canada

ISBN : 978-2-89638-816-5

1

Un homme demande à sa femme :

- Qu'est-ce que tu préfères chez moi chérie, mes muscles virils ou mon intelligence ?
- Ton sens de l'humour !

2

Un sondage réalisé auprès des femmes au foyer :

- Madame, quand vous faites l'amour, vous parlez à votre mari ?
- Très rarement. Seulement quand il téléphone...

3

Quelle est la chose la plus intelligente qu'un homme puisse dire ?
Ma femme dit que...

4

Un invité murmure à sa voisine :

- Le champagne vous rend jolie.
- Mais, je n'en ai pas bu une seule coupe !
- Oui, mais moi, j'en suis à ma dixième !

5

Quelle est la plus petite prison du monde ?
Le cerveau d'un homme, il n'y a à l'intérieur qu'une seule cellule.

6

Pourquoi est-ce que les hommes ont peur de la calvitie ?
Parce qu'ils ont peur de découvrir dessus « NUL SI DECOUVERT ».

7

La vie maritale est très frustrante.

La première année de mariage, l'homme parle et la femme écoute.

La deuxième année, c'est la femme qui parle et l'homme qui écoute.

À partir de la troisième année, ce sont les deux qui parlent, et les voisins qui écoutent.

8

Un éléphant croise un homme sur une plage nudiste. Après l'avoir détaillé des pieds à la tête, il s'écrit :

- Et c'est avec ça que tu veux manger !

9

Quelle est la ressemblance entre les hommes et les spermatozoïdes ?

Parmi tant de millions, il n'y en a qu'un qui sert.

10

Un culturiste emmène une fille dans sa chambre, l'installe sur son lit, et commence un strip-tease. À chaque fois qu'il enlève un vêtement, il lui montre l'un de ses muscles en disant :

- Tu vois ça ? C'est de la dynamite.

Ça commence par ses biceps : de la dynamite.

Puis ses pectoraux : de la dynamite.

Il les énumère tous : de la dynamite.

Il finit par ses cuisses : de la dynamite.

Et lorsqu'il enlève son slip, la fille lui demande :

- Mais dis-moi, ce n'est pas dangereux autant de dynamite avec une si petite mèche ?

11

Pourquoi les hommes sifflent-ils mieux que les femmes ?
Parce qu'ils ont une cervelle d'oiseau...

12

Une femme demande à son mari :
- Que préférerais-tu avoir comme type de femme, une femme très intelligente ou une femme très belle ?
Son mari lui répond :
- Mais aucune des deux, chérie. Tu sais bien que c'est toi, que j'ai choisi.

13

Dieu créa les animaux beaux, Dieu créa la nature belle, Dieu créa l'homme beau. Et Dieu créa la femme en pensant : «elle se maquillera».

14

Qui est le seul qui puisse avoir le dernier mot avec une femme ?
C'est l'écho !

15

Quelle idée se fait l'homme de donner un coup de main à la maison ?
Soulever ses jambes pour qu'on passe l'aspirateur par-dessous.

16

Albert Einstein répondit à une femme, qui lui demandait la différence entre le temps et l'éternité :
- Chère madame, je devrais consacrer tout mon temps à vous l'expliquer, et il vous faudrait une éternité pour le comprendre.

17

Pourquoi faut-il des millions de spermatozoïdes pour fertiliser un ovule ?

Parce ce qu'ils sont masculins : ils refusent de demander leur chemin !

18

Une belle femme et un homme ont une collision assez grave.

Les autos sont totalement détruites. Ils rampent donc à l'extérieur de leurs véhicules respectifs.

La femme dit :

- Vous êtes un homme et je suis une femme. Regardez nos voitures.
  Rien ne reste et nous ne sommes pas blessés. C'est un signe que
  Dieu voulait qu'on se rencontre, et que l'on devienne amis.

Flatté, l'homme réplique :

- Je suis d'accord avec vous, cela doit être un signe.

La femme poursuit :

- Regardez : un autre signe ! Mon auto est démolie, mais la bouteille
  de vin à l'intérieur est intacte. Dieu a sûrement voulu qu'on la boive
  pour célébrer notre chance d'être toujours en vie. Elle tend la bouteille
  à l'homme. Celui-ci l'ouvre, en boit la moitié et la rend à la femme.
  Elle la prend, remet le bouchon dessus et la redonne à l'homme.

L'homme demande :

- Vous n'en prenez pas ?

- Non, je crois que je vais attendre la police !

19

Une femme demande à son mari :

- Mon amour... pourquoi te mets-tu toujours à la fenêtre quand je chante ?

- Chérie, c'est pour que les voisins ne croient pas que je te tape dessus !

20

Pourquoi les piles sont mieux que les hommes ?

Parce qu'elles ont au moins un côté positif !

21

Deux amis discutent ensemble :

- Tu devrais rencontrer ma femme. Elle est médium et peut me dire l'avenir.
- Ben tu as de la chance, car la mienne, elle est extra-large et me dit plus rien.

22

Une mère sort avec son jeune fils et rencontre en chemin une de ses amies, fort jolie.

- Grégory, ordonne la mère, embrasse la dame.
- Non, Maman.
- Grégory, c'est un ordre !
- J'ai dit non, Maman.
- Mais enfin, pourquoi ne veux-tu pas embrasser la dame ?
- Parce que Papa a essayé, hier, et il s'est reçu une paire de gifles !

23

Ma femme et moi étions assis dans le lit la nuit dernière, discutant des choses de la vie. Nous parlions de l'idée de vivre ou de mourir.

Je lui ai dit :

- Ne me laisse jamais vivre dans un état végétatif, dépendant d'une machine et de liquides. Si tu me vois dans cet état, débranche tous les éléments qui me maintiennent en vie ». Sur ce, elle s'est levée, elle a débranché le câble de la télévision et m'a enlevé ma bière.

24

Une femme nue, se regarde debout devant la glace.

Elle dit à son époux :

- Je me trouve horrible à regarder, grasse et ridée... J'ai besoin d'un compliment.

Le mari répond :

- Tu as une bonne vue.

25

Comment s'appelle le fait d'épouser plusieurs femmes ?

La polygamie.

Comment s'appelle le fait d'épouser deux femmes ?

La bigamie.

Comment s'appelle le fait d'épouser une seule femme ?

La monotonie.

26

Un couple de randonneurs à la campagne.

La femme :

- Chéri... ce paysage me laisse sans voix !

- Parfait, nous campons ici !

27

Le fils :

- C'est vrai, Papa, que dans certaines parties de l'Afrique un homme ne connaît pas sa femme avant de se marier ?

Ce à quoi le père répond :

- Oui, et c'est pareil dans tous les pays...

28

Quatre secrets pour avoir un mariage heureux...

1. C'est important de trouver une fille qui sache bien cuisiner et qui fasse bien le ménage.
2. C'est important de trouver une fille qui gagne beaucoup d'argent et te le fasse partager.
3. C'est important de trouver une fille qui aime le sexe et qui sache te faire plaisir.
4. C'est très important que ces trois filles ne se rencontrent jamais.

29

Un homme entre dans une librairie et demande à la marchande un titre qu'il ne trouve pas en rayon :
- Où se trouve le livre Les hommes fidèles ?
La libraire lui répond :
- Cherchez donc au rayon science-fiction !

30

Quelle est la définition des préliminaires pour un homme ?
Ouvrir la fermeture Éclair® de son pantalon.

31

Pourquoi une femme met-elle plus de temps à s'habiller qu'un homme ?
Parce qu'elle doit ralentir dans les courbes.

32

Quelle est la différence entre une femme légitime et une maîtresse ?
Le jour et la nuit !

33

Deux femmes discutent dans un café, quand deux hommes entrent.

La première dit à l'autre :

- C'est marrant, les deux hommes qui viennent de rentrer... eh bien, celui de gauche, c'est mon mari et celui de droite, mon amant.

- C'est comique, moi c'est juste l'inverse !

34

Quelle est la différence entre une femme bronzée et un poulet barbecue ?

Aucune. Les parties blanches sont les plus recherchées.

35

À quatre ans : Ma maman peut tout faire !

À huit ans : Ma maman sait presque tout !

À 12 ans : Ma mère ne sait pas vraiment tout.

À 14 ans : Naturellement, ma mère ne connaît rien à ça.

À 16 ans : Ma mère ? On ne peut pas vraiment dire qu'elle soit dans le coup !

À 18 ans : Elle ? Oui, c'est ma mère... Qu'est-ce qu'elle est vieux jeu !

À 25 ans : Eh bien, elle s'y connaît peut-être un peu là-dedans.

À 35 ans : Avant de décider, on va d'abord demander à ma mère.

À 45 ans : Je me demande bien ce que Maman aurait pensé de ça.

À 65 ans : Comme j'aimerais encore pouvoir discuter avec Maman...

36

Quel est le comble de l'optimisme ?

Imaginer qu'une femme va quitter la cabine téléphonique parce qu'elle vient de dire « au revoir » à sa correspondante.

37

Un mec est à l'hôpital, car sa femme est en train d'accoucher...

Comme il la voit souffrir pendant les contractions, il lui prend la main et lui dit en pleurnichant:

- Oh ma chérie, tu as tant mal et tout ceci est de ma faute...

La femme répond avec un petit sourire.

- Mais non, tu n'y es pour rien... absolument pour rien!

38

Après un terrible accident de voiture, la femme d'un couple doit avoir recourt à la chirurgie esthétique. Le chirurgien doit prélever de la peau sur les fesses de son mari pour réparer les blessures sur les joues de la femme.

Un mois plus tard, les résultats sont assez satisfaisants, la femme est presque aussi belle qu'avant. Elle dit à son mari:

- Chéri, ce que tu as fait pour moi est formidable! Qu'est-ce que je peux faire pour te remercier?

- Rien chérie, ça me fait déjà tellement plaisir de regarder ta mère t'embrasser sur la joue!

39

Discussion entre copines devant une tasse de thé:

- Mon mari et moi, nous sommes mariés depuis plus de deux ans, et nous ne nous sommes pas encore disputés sur quoi que ce soit. Si jamais nous ne sommes pas d'accord sur quelque chose, et que j'ai raison, alors mon mari acquiesce et accepte mon point de vue.

- Mais... si c'est lui qui a raison?

- Ah, ça? Ce n'est pas encore arrivé.

40

Un gars remarque une jeune femme dans un bar. Il s'approche et engage la conversation.

Au bout de quelques minutes, pensant avoir impressionné la belle, il lui propose d'aller «un peu plus loin».

La jeune femme lui répond:

- Oh non, je suis désolée... ça va vous paraître un peu désuet à notre époque, mais j'ai décidé de me garder pure et innocente jusqu'à ce que je sois certaine d'avoir trouvé l'homme que j'aime!

- Ben dites donc, ça doit être plutôt dur, non?

- Oh, moi ça va... mais mon mari, ça le rend fou!

41

Les ordinateurs sont de sexe féminin. Personne ne connaît leur logique interne, si ce n'est leur créateur. Leur langage est incompréhensible. La moindre erreur est stockée en mémoire et quand on en a acheté un, il faut encore dépenser la moitié de son prix en accessoires.

42

Quelle est la différence entre une mauvaise conductrice et des fraises? Aucune, les deux se retrouvent dans le champ!

43

Marie-Chantal demande à Éléonore:

- Comment avez-vous fait pour empêcher Jean-Charles, votre mari, de rentrer si tard le soir?

- Oh... c'est très simple! Une nuit, où il est rentré particulièrement tard, je lui ai chuchoté à l'oreille: «C'est toi, Henri?»

44

Pourquoi ce sont les vieilles qui font les meilleures pipes ?

Parce qu'en plus, elles ont les dents qui branlent.

45

Pourquoi la femme, lors de son mariage, met-elle une bague à son mari ?

Pour lui donner de la valeur.

46

Qu'est-ce qui a 40 boules et qui rend les vieilles dames folles d'excitation ?

Le Bingo !

47

Une jeune fille dit à son amie :

- Pourquoi me marier ? J'ai un chien, un chat et un perroquet !

- D'accord, mais cela ne remplace pas un mari !

- Oh que si ! Le chien grogne tout le temps, le perroquet répète sans cesse la même chose, et le chat passe ses nuits dehors !

48

Un homme est convoqué par la police :

- C'est bien vous qui aviez signalé la disparition de votre femme ?

- Parfaitement, monsieur le commissaire !

- Eh bien, on l'a retrouvée !

- Tant mieux, et qu'a-t-elle dit ?

- Rien !

- Rien ? Alors, ce n'est pas elle !

49

Un couple, sous pression après une récente dispute, ne communique plus que par écrit. Un soir, avant de se coucher, le mari écrit : «réveille-moi à sept heures».

Le lendemain à 10 heures, l'homme se réveille furieux et aperçoit un mot au chevet du lit : «Debout ! Il est sept heures.»

50

C'est un homme et une femme qui ont pas mal bu. Alors forcément, ils se posent des questions existentielles, comme celle-ci : qui, de l'homme ou de la femme, prend le plus de plaisir pendant l'acte sexuel ?

L'homme dit :

- Ce sont les hommes qui prennent le plus de plaisir ! Sinon, pourquoi penses-tu que les hommes ont toujours envie de baiser ?

La femme répond :

- Ça ne prouve rien du tout. Réfléchis deux secondes à ça : quand ton oreille te gratte et que tu utilises ton petit doigt, qui se sent mieux après ? Ton petit doigt ou bien ton oreille ?

51

La femme apprécie l'homme de 20 ans pour le choc, l'homme de 35 ans pour le chic et l'homme de 50, pour le chèque.

52

Une paysanne dit à son mari :

- Demain, c'est l'anniversaire de nos 30 ans de mariage. Pour la circonstance, on pourrait tuer le cochon, non ?

- Pourquoi dit le mari, ce n'est pas sa faute !

53

Quel est le pays qui entoure certaines femmes ?
La Grèce.

54

Un vieillard se présente dans une banque de sperme. Le médecin lui tend un petit pot et lui indique un local spécial. Trois heures plus tard, l'homme revient avec le pot, vide : « J'ai essayé avec la main droite, avec la main gauche, et ma femme, avec sa bouche puis ses dents, mais on n'a jamais réussi à ouvrir ce satané pot ! ».

55

Un type dit à son copain :
- Chaque fois que je me dispute avec ma femme, elle devient historique !
- Tu veux dire hystérique !
- Non, historique ! Elle se souvient de tout ce que j'ai fait de travers, et même du jour et de l'heure.

56

Un jeune couple va consulter un conseiller matrimonial pour tenter de sauver ce qui reste de leur mariage. Le conseiller s'adresse à la femme et lui demande quel est le problème.
- Mon mari souffre d'éjaculation précoce, répond la femme.
Le conseiller se tourne alors vers le mari et demande si cela est vrai.
- Pas exactement, répond le mari, c'est elle qui souffre, pas moi.

57

Il n'y a pas de femmes fidèles, il n'y a que des femmes non sollicitées.

58

Pourquoi les hommes ont-ils les jambes arquées ?

Les choses sans importance sont toujours mises entre parenthèses.

59

Les hommes sont la preuve que la réincarnation existe.

On ne peut pas devenir aussi con en une seule vie.

60

Quel est le point commun entre les nuages et les hommes ?

Quand ils s'en vont, on peut espérer une belle journée.

61

Pourquoi les hommes aiment-ils autant les voitures et les motos ?

Celles-là au moins, ils peuvent les manipuler.

62

Quelle est la différence entre une cravate, une ceinture et un homme ?

La cravate serre le cou, la ceinture serre la taille et l'homme, lui, sert à rien !

63

Une très belle femme va chez le médecin. Il doit l'examiner, et pour ce faire, lui demande donc de se déshabiller.

- Je suis très pudique, vous savez... Pourriez-vous éteindre la lumière pendant que j'enlève mes vêtements ?

Le docteur obéit. Elle lui dit ensuite, dans le noir :

- Où dois-je poser mes habits ?

- Sur la chaise, à côté des miens.

64

Quelle est la différence entre les hommes et les élastiques ?
Il n'y en a aucune, ils s'étirent et ils pètent.

65

Les hommes sont comme les places de stationnement : les bons sont déjà pris, ceux qui restent sont trop petits.

66

- Les enfants, cette année, nous avons décidé de partir en vacances en pension complète !
- C'est quoi la pension complète ? demande le plus jeune.
- La pension complète, c'est le top ! Nous allons dormir à l'hôtel et une dame viendra le matin refaire nos lits, faire le ménage, remettre des serviettes propres... Au restaurant de l'hôtel, on pourra aller prendre un copieux déjeuner, puis des cuisiniers nous prépareront notre dîner et notre souper pendant que nous nous promènerons. C'est super, non ?
- Oui, oui ! répond le petit avec un air dubitatif.
- Quelque chose ne va pas ? s'inquiète le père.
- Non, non, c'est très bien, seulement, je me demande pourquoi on amène Maman...

67

Au cimetière, lors de l'enterrement d'une femme, le mari et l'amant de celle-ci se retrouvent pour la mise en terre. L'amant pleure à chaudes larmes. Le mari lui dit, impassible :
- Allons, allons, ne soyez pas si triste, je me remarierai.

68

Les hommes sont comme le café : les meilleurs sont riches, chauds, et peuvent vous tenir éveillée toute la nuit.

69

Ne soyez pas méchants avec les femmes, la nature s'en charge au fur et à mesure que le temps passe.

70

Le mari dit à sa femme :
Je ne sais pas pourquoi tu portes des soutiens-gorge, puisque tu n'as rien à y mettre !
La femme lui répond :
Tu portes bien un slip, toi !

71

C'est une femme qui ne pouvait pas s'empêcher de se ronger les ongles. Alors, un de ses amis lui dit :
- Tu devrais prendre des cours de yoga, ça t'enlèverait ton stress.
Quelques temps plus tard, ils se croisent à nouveau, et l'ami, voyant que sa copine a de beaux ongles bien longs, lui dit :
- Je vois que le yoga t'a réussi. Tu ne te ronges plus les ongles ?
Et elle répond :
- Non, mais depuis le yoga, j'arrive à atteindre les ongles de mes pieds.

72

Comment appelle-t-on un homme intelligent, sensible et beau ?
Une rumeur.

73

Un jour, alors que son mari est en retard au retour du travail, une épouse est très nerveuse et en parle à sa mère au téléphone :

- Je suis sûre qu'il voit une autre femme !

- Pourquoi toujours voir le pire ? Peut-être a-t-il simplement eu un accident.

74

Les hommes sont comme le mascara : ils disparaissent au moindre signe d'émotion.

75

Que peut-on offrir à un homme qui a déjà tout ?

Une femme qui lui montrera comment tout utiliser.

76

Après quelques années de vie commune, un jeune homme décide de se marier avec sa petite amie. Comme il n'est pas du tout au courant des traditions, à la fin de la messe, il s'approche du curé et lui demande :

- Excusez-moi mon père, je sais qu'il est dans la tradition que les jeunes mariés fassent une offrande au prêtre qui a célébré le mariage, mais je ne sais pas ce que les gens donnent en général.

Le prêtre lui répond dans le creux de l'oreille :

- En général, c'est en fonction de la beauté de la mariée. Plus elle est belle, plus la somme est élevée. À ces mots, le jeune marié se tourne vers sa femme. Il hésite quelques instants, plonge la main dans sa poche et tend une pièce de un dollar au curé.

Le prêtre, compatissant, lui dit :

- Ne bougez pas, je vais vous rendre la monnaie...

77

Pourquoi les hommes mariés prennent du poids tandis que les célibataires restent maigres ?
- Les célibataires ouvrent leur frigo, mais n'y trouvent rien qui leur plaise ; alors, ils retournent au lit.
- Les hommes mariés vont au lit, mais n'y trouvent rien qui leur plaise ; alors, ils vont au frigo.

78

Le mariage est une merveilleuse institution, qui sert à partager à deux les problèmes qu'on n'aurait jamais eus si on était resté seul.

79

Le mari à sa femme :
- As-tu déjà regardé un homme depuis notre mariage, en te disant que ce serait bien d'être de nouveau célibataire ?
- Oui, toi tous les matins.

80

Quelle est la différence entre une femme et une pile ?
La pile a un côté positif !

81

Un mari, qui adore sa femme, fait sa prière du soir :
- Mon Dieu, épargnez à ma chère épouse tous les tourments. Si elle doit avoir mal aux dents, faites que j'aie cette rage de dents. Si elle doit avoir un ulcère, faites que ce soit le mien. Et si jamais elle devait devenir veuve, faites que ce soit plutôt moi qui devienne veuf !

82

Qui donne un poisson à un homme, le nourrit pour une journée. Qui lui apprend à pêcher, est tranquille tous les week-ends.

83

Ma femme et moi, on a atteint une parfaite compatibilité sexuelle : hier, on a tous les deux eu mal à la tête.

84

Que doit faire une femme quand son mari court en zigzag dans le jardin ? Continuer à tirer !

85

Au moment où elle se réveille, une femme dit à son mari :
- Chéri, je viens de faire un rêve incroyable. J'ai rêvé que tu m'offrais un collier de perles pour la Saint-Valentin. À ton avis, qu'est-ce que ça peut vouloir dire ?
- Tu le sauras ce soir, répond le mari avec un petit sourire.
Le soir venu, l'homme rentre du travail avec un petit paquet cadeau. Sa femme, ravie, commence à le déballer, et à l'intérieur, elle découvre... un livre intitulé L'interprétation des rêves...

86

Pendant une dispute, une femme dit à son mari :
- J'étais folle quand je me suis mariée avec toi.
Et le mari répond :
- Je sais, mais comme j'étais amoureux à l'époque, je ne l'avais pas remarqué.

87

Les cigognes qui amènent les bébés sont-elles des femelles ou des mâles ? Des mâles, bien sûr ! Avez-vous déjà vu des femmes fermer leur bec plus de 5 minutes ?

88

Contemplant avec intérêt son mari qui s'efforce de planter un clou pour y attacher un tableau, une dame lui dit :

- Ton marteau me fait songer à la foudre.

Le bricoleur répond :

- Parce qu'il en a la rapidité, n'est-ce pas ?

- Non, parce qu'il ne frappe jamais deux fois au même endroit !

89

- Mettez-moi en prison, dit un homme qui vient de pénétrer, hors d'haleine, dans un commissariat.

- J'ai tiré à coups de revolver sur ma femme.

- Elle est morte ? questionne l'un des agents.

- Si elle était morte, répond l'homme, croyez-vous que j'aurais besoin de me réfugier ici ?

90

À Venise, dans un grand hôtel, le garçon d'étage frappe à la porte de la chambre d'un couple :

- Monsieur désire-t-il quelque chose ?

- Non, merci !

- Et pour votre épouse ?

- Ah oui... bonne idée ! Apportez-moi donc une carte postale !

91

Un gars est invité à manger chez des amis. Le couple qui le reçoit a la cinquantaine et vient de fêter ses noces d'argent. Après le repas, pendant que madame prépare le café, l'invité prend son hôte par le bras et lui dit sur le ton de la confidence : «Dis donc, tu m'épates, après 25 années de mariage, tu continues à donner à ta femme des petits noms comme «ma chérie», «mon amour», «mon bébé»... Vraiment, je t'admire ! Et le mari lui glisse à l'oreille : «Pour être honnête... j'ai oublié son prénom !»

92

Lors d'un cocktail, deux copines discutent :
- Dis donc, ton alliance n'est pas sur le bon doigt !
Et l'autre explique :
- Oui, c'est parce que je n'ai pas le bon mari.

93

Quelle est la différence entre le Yéti et un homme intelligent ?
Il paraît que quelqu'un a déjà vu le Yéti !

94

Un homme va consulter une voyante.
La voyante :
- Je vois... Je vois... Je vois que vous avez deux enfants.
L'homme :
- Ça, c'est ce que vous croyez mais j'ai trois enfants, madame.
La voyante :
- Ça, c'est ce que vous croyez !

95

C'est un vieux couple dont la mémoire défaille. L'homme et la femme suivent donc des cours de stimulation de la mémoire. Ils trouvent ces cours formidables et en parlent à leurs amis et voisins. Si bien qu'un jour, le voisin interpelle le vieux monsieur en train de tondre sa pelouse et lui demande :

- Dites-moi, quel est le nom de votre moniteur pour ces exercices sur la mémoire ?

Le vieux répond :

- Eh bien, c'était... hum... laissez-moi une minute... Quel est le nom de cette fleur, vous savez, celle qui sent si bon mais qui a des épines sur ses tiges ?

Le voisin :

- Une rose ?

Le vieux :

- Oui, c'est ça...

Alors, il se retourne et crie en direction de la maison :

- Hé, Rose, ma chérie, quel est le nom de notre moniteur pour les cours sur la mémoire ?

96

Pourquoi les hommes ne mettent-ils jamais deux fois le même costume quand ils veulent s'habiller élégamment ?
Parce que la mode a changé entre leurs mariages et leurs enterrements.

97

Quelle différence il y a t-il entre un homme et un chat ?
Aucune, tous les deux ont peur de l'aspirateur !

98

Ce sont deux gars blasés qui discutent entre eux.

L'un des deux dit à l'autre :

- Si on jouait ma femme au poker ?

- Hein ? Oh, ouais, bonne idée...

Ils commencent à jouer, mais après un quart d'heure, le mari surenchérit :

- Et si on ajoutait 500 balles, pour intéresser la partie ?

99

Pourquoi les hommes emmènent-ils leurs épouses en vacances ?

Pour que les vacances paraissent plus longues !

100

Quelle est la différence entre un homme et E.T. ?

E.T., lui, téléphone-maison.

101

Deux femmes discutent :

- J'aimerais trouver un mari qui ne boive pas, qui soit toujours d'accord avec moi et qui ait de la conversation !

- Tu n'as qu'à acheter un téléviseur !

102

C'est une femme qui dit à une autre :

- Comment vas-tu appeler ta fille ?

- Moustache à chat !

- Tu es folle, tout le monde va se moquer d'elle !

- Mais, tu as bien appelé la tienne Barbara !

103

Si un homme ouvre la portière de sa voiture à sa femme, on peut être sûr d'une chose : ou bien c'est la voiture qui est neuve, ou bien c'est la femme.

104

Un homme vend sa maison à une dame. La dame remarque que la maison est construite de façon étrange, les pièces sont rondes.

La dame dit :

- Dites monsieur, c'est particulier, ces pièces toutes rondes.
- Oui je sais, mais c'est parce que quand on l'a faite construire, ma belle-mère m'avait dit : « Il y aura bien un coin pour moi ! »

105

Qu'y a-t-il de commun entre un homme et une série télévisuelle ?

Dès que ça devient intéressant, il faut attendre la suite.

106

Comment rendre un homme heureux au lit ?

En mettant la télévision dans la chambre.

107

Comment qualifie-t-on un homme ligoté ?

Il est digne de confiance.

108

Comment un homme remarque-t-il la disparition de sa femme ?

Au niveau sexe, pas de changement, mais la vaisselle s'empile.

109

Pourquoi Dieu a-t-il créé l'homme ?
Parce qu'on fait tous des erreurs !

110

La vitesse de la lumière est supérieure à celle du son. C'est pourquoi bien des hommes ont l'air brillant jusqu'à ce qu'ils ouvrent la bouche.

111

Les hommes, c'est comme les comptes en banque; s'ils n'ont pas trop d'argent, ils n'ont pas beaucoup d'intérêt.

112

Quelle est la différence entre un homme et un sapin ?
Le sapin est un conifère tandis que l'homme est con et qu'on ne peut rien y faire.

113

Quels sont les trois pays qui décrivent le mieux les hommes, de bas en haut ?
Les Pays-Bas, la Grèce et la Mongolie !

114

Une femme va au commissariat de police pour signaler la disparition de son mari. L'inspecteur regarde la photo du gars, la questionne, puis lui demande si elle a un message à transmettre à son mari au cas où ils le retrouveraient :
- Oui. Dites-lui que ma mère ne viendra pas pour les vacances finalement !

115

Pourquoi les hommes ont-ils la conscience tranquille ?

Parce qu'ils ne l'utilisent jamais…

116

Pourquoi les hommes sont comme les crabes ?

Parce que tout est bon chez eux, sauf la tête.

117

Les règles de la sexualité chez l'homme :

À 10 ans, c'est Maman qui me surveille.

À 20 ans, c'est le matin, le midi et le soir.

À 40 ans, c'est le mardi, le mercredi et le samedi.

À 60 ans, c'est en mars, en mai et en septembre.

À 80 ans, ce sont mes meilleurs souvenirs.

118

Pourquoi les scientifiques préfèrent étudier le cerveau des hommes ?

Parce qu'il y a beaucoup moins à étudier.

119

Un policier arrête une femme au volant de sa Golf Cabriolet, car elle vient d'être prise au radar à plus de 50 km/h au-dessus de la vitesse autorisée. Très calmement, le policier demande à voir le permis de conduire de la femme. Énervée, elle lui répond :

- Vous devriez vous mettre d'accord dans la police. Pas plus tard qu'hier, un de vos collègues me retire mon permis et aujourd'hui il faudrait que je vous le montre...

120

Quand un homme pense-t-il à mettre des bougies pour le dîner ?
Quand le courant tombe en panne.

121

Quel est le point commun entre une étoile filante et un homme intelligent ?
On en voit rarement !

122

Les hommes sont comme des ordinateurs : difficiles à comprendre et ils n'ont jamais assez de mémoire.

123

Deux célibataires endurcis regardent un match de soccer à la télévision. Pendant la mi-temps, alors qu'ils vont chercher des bières au frigo, la discussion dérive sur la bouffe :
- Je me suis acheté un livre de cuisine une fois, dit le premier, mais je n'ai jamais pu m'en servir.
- Les plats étaient trop sophistiqués ? demande l'autre.
- Tu l'as dit ! Toutes les recettes commençaient de la même façon : « Prenez un plat propre et... »

124

Le mari rentre d'une visite médicale et dit à sa femme que le docteur a besoin d'un échantillon d'urine, d'un échantillon de selles et d'un échantillon de sperme. Sa femme lui répond :
- Facile, tu n'as qu'à lui donner l'un de tes caleçons !

125

Un enfant assiste à un mariage. Après la cérémonie, il dit à son petit copain :

- Tu as vu ?

- Quoi ?

- La mariée a dû changer d'avis dans l'église.

- Mais pourquoi dis-tu ça ?

- Parce que je l'ai vue entrer au bras d'un vieux monsieur, alors qu'elle est ressortie au bras d'un jeune !

126

Les hommes sont comme les conditions météorologiques. On ne peut rien faire pour changer l'un ou l'autre d'entre eux.

127

Une femme remarque son mari dans la salle de bains. Il est debout sur la balance en train de se peser et tente tant bien que mal de rentrer son ventre le plus possible.

Elle lui dit :

- Même si tu essaies de rentrer ton ventre, je ne pense pas que ça t'aide en quoi que ce soit !

Le mari répond :

- Bien sûr que si, ça m'aide, c'est la seule manière de voir les chiffres sur la balance !

128

Quelle est la différence entre un homme et une tasse de café ?

Il n'y en a pas : les deux tapent sur les nerfs.

129

Pourquoi les femmes ne clignent-elles pas des yeux pendant les préliminaires ?

Pas le temps.

130

Une femme arrive dans la cuisine et voit son mari avec une tapette à mouche...

- Que fais-tu ?

Il répond :

- Je chasse les mouches.

- En as-tu tué ?

- Oui, trois mâles, deux femelles !

Intriguée, elle lui demande :

- Comment fais-tu la différence entre les femelles et les mâles ?

Il répond :

- Trois étaient sur la cannette de bière, et deux sur le téléphone.

131

Une grosse femme est invitée à danser avec un inconnu. Soudain, un pet lui échappe. Gênée, elle s'adresse à son cavalier :

- Excusez-moi, ça m'a échappé ! J'espère que cela restera entre nous ?

Et il lui répond :

- Ben non, j'espère que ça va circuler !

132

Qu'est-ce qui fait plus plaisir à un homme qu'un délire sexuel ?

Des copains qui le croiraient.

133

Une femme se réveille pendant la nuit et constate que son mari n'est pas au lit. Elle enfile son peignoir et descend voir où il est. Elle le trouve dans la cuisine, assis devant une tasse de café. Il paraît bouleversé et fixe le mur. Elle le voit essuyer une larme comme il avale une gorgée de café.

- Qu'est-ce qui ne va pas, chéri ?

Le mari lève les yeux de son café, et il lui demande solennellement :

- Tu te souviens, il y a 20 ans, quand on s'était donné rendez-vous, tu n'avais alors que 16 ans ?

- Oui, je m'en souviens, répond-elle.

Le mari fait une pause, les mots lui viennent difficilement.

- Te souviens-tu que ton père nous a surpris en train de faire l'amour à l'arrière de la voiture ?

- Oui je m'en souviens, dit la femme en s'asseyant à ses côtés.

Le mari continue :

- Te souviens-tu, quand il a pointé son flingue sur ma tempe et qu'il a dit : « Ou tu épouses ma fille, ou je t'envoie en tôle pour 20 ans ! »

- Je m'en souviens aussi, répond-elle doucement.

Il essuie une autre larme et dit :

- J'aurais été libéré aujourd'hui !

134

Un gars, qui est dans un bar, a terriblement envie de péter, il se dit que la musique est très forte et que s'il arrive à accorder ses pets au rythme de la musique personne ne le remarquera... C'est donc ce qu'il fait... Après deux musiques le gars se dit que c'est bon, il est soulagé, mais il se rend compte que tout le monde le regarde d'un air dégouté, et c'est à ce moment-là, qu'il se souvient qu'il écoute son IPOD...

135

Les hommes, c'est comme de l'essence :

- des pieds à la ceinture, c'est du super,

- de la ceinture aux épaules, c'est de l'ordinaire,

- et des épaules à la tête, c'est du sans plomb.

136

Un homme entre dans son salon avec un chiffon et une bouteille de spray nettoyant. Il décroche un Renoir, un Degas et un Van Gogh. Avec un chiffon imbibé de spray, il efface les trois signatures et à l'aide d'un feutre noir, il inscrit à l'emplacement des signatures : « Martine ».

Sa femme arrive à ce moment-là et s'exclame :

- Mais tu es complètement fou !

- Ne t'inquiète pas, la rassure son mari. Demain, j'ai un contrôle fiscal. J'ai tout mis à ton nom.

137

Les femmes sont comme les nouilles, quand on les chauffe trop, elles collent !

138

Une dame se dispute avec son mari :

- Tu marches comme une bête, tu travailles comme une bête, tu conduis comme une bête, tu manges comme une bête, tu dors comme une bête. Si on faisait le concours du plus bête, tu serais ledeuxième !

Étonné, le mari demande :

- Et pourquoi pas le premier ?

- Parce que tu es trop bête !

139

Un homme se présente au poste de police.

- J'aimerais signaler la disparition de ma femme.

- Depuis quand avez-vous remarqué sa disparition ?

- Euh... Ça doit faire une douzaine de jours !

- 12 jours !

- Mais pourquoi venir le signaler seulement maintenant ?

- Eh bien, c'est que jusqu'à maintenant, c'était vivable, mais là, il ne me reste plus de linge ni de vaisselle propre !

140

Comment fais-tu pour savoir si un lapin en chocolat est un mâle ou une femelle ?

Tu croques la tête et si elle est vide, alors c'est un male.

141

Deux vieux amis se rencontrent après plusieurs années sans s'être vus. Ils discutent à la terrasse d'un café et dans la conversation, l'un dit à l'autre :

- Ta femme est toujours aussi jolie ?

- Oh oui, ça lui prend juste un peu plus de temps.

142

Deux femmes se rencontrent. L'une dit à l'autre :

- Tu as l'air bien contente !

- Eh oui ! J'ai réussi à faire un puzzle en six mois.

- Et qu'y a-t-il de si extraordinaire ?

- Sur la boîte, il était écrit « de quatre à six ans » !

143

Pourquoi la psychanalyse des hommes est elle plus rapide que celle des femmes ?

Parce qu'il s'agit de remonter dans l'enfance et avec les hommes, on y est déjà.

144

Un homme et sa femme s'affairent dans le jardin derrière la maison. Le mari dit à sa femme :

- Ouin, ton derrière est devenu aussi large que le barbecue !

La femme ignore la remarque désobligeante. Un peu plus tard, l'homme prend son mètre et mesure la largeur du barbecue. Il attend ensuite que sa femme soit penchée, mesure son derrière et s'exclame :

- Ah ben, maudit ! Ton derrière est vraiment devenu aussi large que le barbecue !

Encore une fois, sa femme ignore le commentaire.

Le soir venu, le couple est au lit et l'homme se colle à sa femme. Elle le repousse et lui dit calmement :

- Si tu penses que je vais faire chauffer le barbecue, juste pour une p'tite saucisse, tu te trompes, mon gars !

145

Quelle est la différence entre un homme et un PC ?

Le PC, on a besoin de lui dire les choses qu'une fois.

146

Combien de perroquets peut-on mettre dans le slip d'un homme ?

Cela dépend la taille du perchoir !

147

Un homme, gros et très costaud, entre dans un bar et crie :

- Hé, qui est-ce qui s'appelle Marc, ici ?

Un type près du bar répond :

- Oui, c'est moi. Alors, le type costaud s'approche, lui casse la figure puis s'en va.

Un homme vient aider Marc à se relever, en lui disant :

- Il vous a bien eu, hein ?

Mais le type à terre répond :

- C'est moi qui l'ai eu, car je m'appelle Robert et non Marc...

148

Un patient gravement malade est à l'hôpital. La famille est réunie dans la salle d'attente. Un médecin entre, fatigué et désolé. Il dit :

- Je vous apporte de mauvaises nouvelles. L'unique chance de survie est une greffe de cerveau. C'est une opération expérimentale, très risquée et dont les frais seront totalement à votre charge.

La famille reste abasourdie. Un des membres demande :

- Combien coûte un cerveau ?

- Ça dépend, répond le médecin, 5 000 dollars pour un cerveau d'homme, et 200 dollars pour un cerveau de femme...

Alors, un long moment de silence s'installe. Les hommes de la famille se retiennent de rire et évitent de regarder les femmes.

Un curieux ose quand même poser la question :

- Docteur, pourquoi une telle différence de prix ?

Le docteur sourit face à une telle question, puis répond :

- Les cerveaux de femme coûtent moins cher, car ce sont les seuls à avoir été utilisés !

Deux amies se parlent :

1 : As-tu eu du bon sexe hier ?

2 : Non, c'était un désastre. Mon mari est arrivé à la maison, a mangé son souper en quatre minutes, est monté sur moi, a terminé en trois minutes, puis s'est retourné sur le côté et est tombé endormi en deux minutes. Et toi ?

1 : Oh, c'était incroyable ! Mon mari est arrivé à la maison et m'a sortie pour un souper romantique. Après dîner, nous avons marché pendant une heure. De retour à la maison, il a allumé toutes les chandelles dans la maison et nos préliminaires ont duré une heure ! Après, nous avons fait l'amour pendant une heure ! Et encore après, on a jasé pendant une autre heure. C'était merveilleux !

Au même moment, leurs deux maris parlent :

1 : As-tu eu du bon sexe hier ?

2 : Oui ! C'était fantastique ! Je suis arrivé et mon souper était prêt. J'ai mangé et puis, on a baisé et je me suis endormi. Et toi ?

1 : L'enfer ! Je suis arrivé et il n'y avait pas de souper de prêt parce qu'on n'avait pas d'électricité, puisque j'ai oublié de payer la facture. Il a donc fallu que je sorte ma femme pour le souper. Cela a coûté tellement cher que je n'avais pas les moyens de payer le taxi pour le retour. Il a donc fallu marcher une heure ! De retour à la maison, toujours pas d'électricité ; j'ai dû allumer des maudites chandelles dans la maison. J'étais tellement frustré que ça m'a pris une heure pour bander et après, ça m'a pris une autre heure pour jouir. Finalement, encore choqué, ça m'a pris une nouvelle heure pour réussir à m'endormir et pendant ce temps-là, ma femme n'a pas arrêté de parler !

150

La femme DISQUE DUR : elle se rappelle tout, POUR TOUJOURS.

La femme RAM : elle oublie tout de vous, dès le moment où vous lui tournez le dos.

La femme WINDOWS : tout le monde sait qu'elle ne peut pas faire une seule chose correctement, mais personne ne peut vivre sans elle.

La femme LINUX : elle est en libre accès mais beaucoup hésitent à l'utiliser, de peur de perdre le contrôle

La femme EXCEL : on dit d'elle qu'elle peut faire énormément de choses, mais vous l'employez surtout pour gérer votre planning.

La femme ÉCONOMISEUR D'ÉCRAN : elle n'est bonne à rien mais au moins, elle est marrante !

La femme SERVEUR WEB : toujours occupée quand vous avez besoin d'elle.

La femme MULTIMÉDIA : elle sait rendre jolies des choses dénuées d'intérêt.

La femme CD-ROM : elle va toujours plus vite avec le temps.

La femme E-MAIL : sur 10 choses qu'elle dit, neuf sont de pures bêtises.

151

Qu'est-ce qu'il y a de plus entre les seins d'une femme de 60 ans et ceux d'une femme de 20 ans ?
Le nombril...

152

Un petit garçon rentre chez lui et dit à son père :
- Papa, Papa ! Savais-tu qu'on peut avoir des enfants dans une éprouvette ?
- Je le sais, fiston ! J'en ai eu deux dans une cruche !

153

À l'occasion d'un sondage sur les lotions «après-rasage», on demande à un homme:

- S'il vous plaît, qu'est-ce que vous mettez après vous être rasé?
- Mon pantalon.

154

Une dame se plaint à son époux:

- Tu ne m'aimes plus comme avant... Il y a 20 ans, en sortant de table, tu me caressais gentiment le menton!
- Oui, mais à l'époque, tu n'en avais qu'un!

155

Au commencement, Dieu créa la Terre et il se reposa.
Puis Dieu créa l'homme et il se reposa.
Puis Dieu créa la femme.
Et depuis, ni Dieu, ni l'homme ne peuvent se reposer.

156

Trois femmes s'épanchent sur leurs adultères respectifs dans le compartiment d'un train.

La première:

- Non, je ne peux lui cacher toute cette vérité, je raconterai tout à mon mari.

La deuxième:

- Quel courage!

La troisième:

- Quelle mémoire!

157

Après une catastrophe, une centaine de couples se retrouvent au ciel devant Saint Pierre. Il leur dit :

- S'il vous plaît, veuillez faire trois lignes. Une ligne pour les femmes, une ligne pour les hommes qui ont toujours été menés par le bout du nez par leurs femmes, et une ligne pour les hommes qui ont su imposer leur volonté à leurs femmes. Sur ce, trois lignes se forment. Un seul monsieur se retrouve dans la ligne des hommes qui ont su imposer leur volonté à leur femme.

Saint Pierre s'approche de ce monsieur et demande :

- Monsieur, il y a des années que je n'ai vu personne dans cette ligne, êtes-vous sûr que vous êtes dans la bonne ligne ?
- Je ne sais pas, c'est ma femme qui m'a dit de me mettre ici !

158

Quelle est la différence fondamentale entre une femme et un terroriste ?
Tu peux négocier avec le terroriste !

159

Une petite fille demande :
- Dis Maman, ça s'écrit comment « bite », avec un T ou deux T ?
La maman lui répond :
- Mets en trois, ce n'est jamais assez long !

160

Quelle différence y a-t-il entre un homme et une boîte de nourriture pour chat ?
Dans la boîte de nourriture pour chat, il y a du cœur et de la cervelle !

161

Quelle est la partie la moins sensible du pénis ?

L'homme.

162

Pourquoi est-il idiot de donner une montre à une femme ?

Parce qu'il y a l'heure sur la cuisinière.

163

Quelle différence y a-t-il entre les hommes de huit, 18, 28, 38 et 48 ans ?

À huit ans, tu le couches et tu lui racontes une histoire.

À 18 ans, tu lui racontes une histoire pour éviter de coucher avec.

À 28 ans, tu lui fais croire qu'il doit te raconter une histoire pour coucher avec toi.

À 38 ans, tu lui racontes une histoire et tu vas au lit avec quelqu'un d'autre.

À 48 ans, tu n'as rien besoin de lui raconter, parce qu'il s'est endormi sur le divan...

164

Comment un homme appelle-t-il le véritable amour ?

Érection.

165

Quelle est la similitude entre les femmes et le café ?

À petite dose, ça excite, mais si on en abuse, alors ça énerve.

166

Quelles sont les matières préférées des garçons ?

Les maths et le dessin.

167

C'est un type qui dit à l'un de ces copains :

- Je vais divorcer.

- Ah bon, pourquoi ?

- Tu supporterais toi, d'être avec quelqu'un qui boit, qui fume et qui rentre à n'importe quelle heure ?

- Non !

- Eh bien, ma femme non plus.

168

Des amis ont l'habitude de se réunir pour l'apéro. Un jour, l'un d'eux a une idée :

- Écoutez, les gars, demain, chacun saluera les autres autant de fois qu'il aura honoré son épouse durant la nuit.

L'idée est trouvée bonne. Le lendemain, le premier (30 ans) s'avance, tout faraud :

- Messieurs, bonjour... bonjour, bonjour, bonjour, bonjour, bonjour, bonjour...

Arrive le second (40 ans), assez content de lui :

- Messieurs, bonjour, bonjour, bonjour, bon... jour...

Le troisième (50 ans) les rejoint :

- Ben bonjour, bonjour... Bon... bon... jour...

Le quatrième (60 ans) s'installe enfin :

- Et comment ça va, les gars ?

169

L'homme :

- À deux ans, le succès c'est de ne pas faire dans sa culotte.

- À trois ans, le succès c'est d'avoir des dents.

- À 12 ans, le succès c'est d'avoir des amis.

- À 18 ans, le succès c'est d'avoir son permis de conduire.

- À 20 ans, le succès c'est de bien faire l'amour.

- À 35 ans, le succès c'est d'avoir de l'argent.

- À 50 ans, le succès c'est d'avoir de l'argent.

- À 60 ans, le succès c'est de bien faire l'amour.

- À 70 ans, le succès c'est d'avoir un permis de conduire.

- À 80 ans, le succès c'est d'avoir des dents.

- À 85 ans, le succès c'est de ne pas faire dans sa culotte.

170

Un homme s'empresse de consulter un psychiatre :

- Docteur, j'ai un gros problème. Je me prends pour Dieu...

- Du calme, du calme, mon ami. Racontez-moi tout... depuis le commencement.

- Très bien, docteur. Le premier jour, je fis le soleil, la terre et la mer. Le deuxième jour...

171

Un enfant demande à sa mère :

- Maman, Papa a dit que nous descendons tous du singe. C'est vrai ?

- Je n'en sais rien, mon chéri. Ton père a toujours refusé de me parler de sa famille.

172

Quelle est la différence entre la grammaire et un divorce ?

En grammaire, c'est le masculin qui l'emporte.

173

Quand Dieu créa l'Homme, il l'appela et lui dit :

- Adam, j'ai une bonne et une mauvaise nouvelles...

- Seigneur, donnez-moi la bonne en premier.

- Quand je t'ai créé, je t'ai donné deux organes importants : le cerveau et le pénis.

- Mais alors, Seigneur, quelle est la mauvaise nouvelle ?

- Tu n'auras pas assez de sang pour faire fonctionner les deux en même temps. Ils ne pourront fonctionner qu'un à la fois !

174

Un homme marche tout seul dans le désert, il a très soif et très faim.

Il rencontre trois hommes sur des chameaux. L'un des hommes lui donne à boire, à manger, et un chameau. Puis, les hommes lui disent :

- Pour que le chameau s'arrête, il faut lui dire «Stop» et pour qu'il avance, il faut lui dire «Ouf» !

Alors l'homme, tout content, bois, mange, remercie les hommes et s'en va sur le dos de son chameau. Au bout d'un moment, l'homme se rend compte qu'il est près d'un ravin, alors il crie à son chameau :

- Stop !

Le chameau s'arrête à quelques centimètres du ravin.

Soulagé, l'homme dit :

- Ouf !

175

Quel est le point commun entre un ex-mari et l'appendicite ?

Les deux vous ont fait très mal, mais après qu'on les ait enlevés, vous vous rendez compte qu'ils ne vous servaient à rien.

176

Un couple vient de se payer une sacrée dispute juste avant d'aller se coucher. Madame a décidé de faire ce qu'il faut pour le rabibochage : elle attend son mari, couchée nue sur le lit, puis, prenant un air coquin, elle regarde son mari dans les yeux et lui dit :

- Chéri, je vais faire quelque chose qui te rendra l'homme le plus heureux au monde !

Et glacial, son mari lui répond :

- D'accord, tu veux que je t'aide à faire tes valises ?

177

Comment appelle-t-on des gars dans une piscine ?

Une soupe aux légumes.

178

Les hommes sont comme l'horoscope. Ils vous disent toujours quoi faire et habituellement, ils se trompent.

179

Un mari et sa femme font les courses ensemble, un samedi après-midi.

- Chéri, c'est l'anniversaire de ma mère demain. Si on lui achetait un appareil électrique ?

- Bonne idée. Que penses-tu d'une chaise ?

180

Savez-vous pourquoi le chien est le meilleur ami de l'homme?

Qui se ressemble s'assemble.

181

Trois hommes discutent. Le premier a 20 ans, le deuxième en a 40 ans et le troisième a 60 ans.

Le premier dit:

- Moi je bande quand je veux!

Le deuxième dit:

- Moi je bande quand je peux!

Le troisième dit:

- Bande de chanceux!

182

Pourquoi les hommes n'ont pas besoin d'utiliser de papier de toilettes?

Parce que ce sont de parfaits trous du cul.

183

Quelle est la différence entre les toilettes et les hommes?

Il y a des moments de la vie où l'on peut désirer très fort de trouver des toilettes.

184

Quels sont les trois mensonges typiques des hommes?

1. Mon chéquier est dans mon cartable, là...

2. Mais oui, je t'aime...

3. Mais non, je n'éjaculerai pas dans ta bouche!

185

Un mari dit à sa femme :

- Et si on essayait une nouvelle position, ce soir ?

La femme répond :

- Ouais, je suis 100 % d'accord. Toi, tu vas te mettre devant la planche à repasser et moi, je vais allumer la télévision, me coucher sur le sofa et péter aux 5 minutes...

186

Que dit-on d'un homme qui s'attend à coucher le deuxième soir ?

Qu'il est particulièrement lent.

187

Quel point commun y a-t-il entre un homme, un cheval et un diamant ?

Ce sont les meilleurs amis de la femme, pour peu qu'ils soient bien montés.

188

Quelle est la différence entre un divan et un homme qui regarde le hockey à la télévision ?

Le divan n'est pas toujours à demander qu'on lui apporte une bière.

189

Comment être sûr d'énerver sa femme lorsqu'elle vous surprend affalé devant la télévision et vous demande :

- Tu regardes quoi ?

Il faut répondre :

- La poussière.

190

Les époux viennent de fêter leurs noces d'or. Au début de leur mariage, ils avaient convenu de mettre un grain de riz dans une boîte d'allumettes à chaque entorses faites au contrat. Au soir de ce jubilé mémorable, ils décident d'ouvrir enfin leurs boîtes respectives. Le mari ouvre la sienne en premier, elle contient cinq grains de riz. Son épouse ne lui en veut pas... Il a été prisonnier de guerre, il avait un métier qui exigeait de nombreux déplacements, il a toujours été bon mari et bon père... L'épouse ouvre la sienne à son tour, elle est vide. Son mari en a les larmes aux yeux. Il dit :

- J'ai toujours su que tu étais une épouse exemplaire, mais je n'imaginais pas à quel point...

Mais, son épouse l'interrompt toute suite :

- Oh mais dis donc, avec quoi tu crois que j'ai nourri les enfants, pendant la guerre ?

191

Pourquoi les hommes portent-ils des cravates ?
Pour indiquer le terrain de jeu !

192

Chéri, tu ne trouves pas que j'ai de petits seins ?

- Non, non, réponds le mari.

- Mais si, insiste-t-elle.

- Bon écoute, je vais te donner une astuce, tu te frottes les seins tous les matins avec du papier cul.

- Ha bon ? répond la femme, tu es sûr que cela va marcher ?

- Ça a bien marché pour ton cul !

193

Pourquoi les femmes ne pètent-elles pas ?

Parce qu'elles ne gardent pas leurs bouches assez longtemps fermées pour avoir assez de pression.

194

Les hommes, c'est comme du cristal.

C'est beau, mais ça casse vite !

195

Le petit gars demande à son père :

- Papa, quand je suis venu au monde, qui m'a donné mon intelligence ?

- C'est sûrement ta mère répond le père, car moi, j'ai encore la mienne.

196

Quelle différence y a-t-il entre le chocolat et une belle-mère ?

Le chocolat ça constipe et la belle-mère ça fait chier.

197

Un type va au restaurant. Il demande à l'hôtesse :

- Pourriez-vous me servir du poisson pas très frais, avec des patates pas très cuites, du pain de la semaine dernière, une piquette qui sent le vinaigre et en plus, vous asseoir en face de moi et me faire la gueule.

- Mais pourquoi donc, monsieur ?

- Mais parce que comme cela, j'aurai l'impression de dîner à la maison !

198

Un homme tend un verre d'eau et des aspirines à sa femme.

- Mais je n'ai pas la migraine !

- Ah, alors on peut faire l'amour !

199

Savez-vous quelle est la peine encourue pour bigamie ?
Deux belles-mères.

200

Dieu créa la femme et les mathématiques, puis dit :

- La femme sera l'addition des plaisirs, la multiplication des ennuis, la division des copains et la soustraction dans le porte-monnaie.

201

Il est scientifiquement prouvé que n'importe quel alcool contient des hormones féminines : quand on en boit trop, on parle beaucoup, on dit des conneries et on conduit mal.

202

Une femme entre dans un sex-shop. Elle va au rayon des vibrateurs. Elle les regarde tous, il y en a des bleus, des rouges, des longs, des pointus, des bossus, des piquants... Ensuite, un vendeur arrive pour lui demander son choix.

Elle lui dit :

- Ils sont tous beaux, mais mon choix se porte sur le rouge, là, derrière !

Le vendeur lui répond :

- Mais madame, c'est impossible ! C'est l'extincteur !

203

C'est l'été et la canicule fait rage.

- Il fait trop chaud pour porter des vêtements, dit le mari alors qu'il sort de la douche dans son costume d'Adam.
- Chérie, qu'est-ce que tu penses que les voisins diraient si j'allais tondre la pelouse dans cette tenue ?
- Probablement que je t'ai épousé pour ton argent, répond la femme.

204

Demander à une femme « à quoi tu penses ? », c'est déjà lui faire un compliment.

205

Dans une soirée cocktail très chic, une jeune femme danse un slow langoureux avec un play-boy de la Jet-set.

Elle le drague ouvertement :

- Cher ami, que pensez-vous de ma robe ? Le décolleté n'est-il pas un peu trop prononcé ?

Et le gigolo lui répond :

- Avez-vous du poil sur la poitrine ?
- Bien sûr que non ! lui répond la jeune femme.
- Alors, je crois que votre décolleté est trop profond...

206

Une femme rentre à la maison et dit à son mari :

- Tu te rends compte, chéri ? Je reviens de chez l'oculiste avec Maman, il paraît qu'elle est presbyte.
- Ah, ce n'est pas de chance, déjà qu'elle était casse-couilles !

207

Quelle est la partie de la voiture la plus dangereuse ?

La conductrice...

208

Quel est le seul moyen pour l'homme d'avoir le dernier mot avec une femme ?

Il faut répondre « Oui, chérie ! »

209

Pourquoi les femmes se marient-elles en blanc ?

Pour être assorties avec les appareils électroménagers.

210

Au restaurant, des gens s'installent et appellent une serveuse :

- Bonjour mademoiselle, vous avez des cuisses de grenouilles ?

- Non, c'est juste mon blue-jean qui me serre un p'tit peu !

211

Un homme riche est un homme qui gagne plus que sa femme ne dépense...

212

Un homme dit à son épouse :

- Comment le bon Dieu a-t-il pu te faire aussi belle et aussi stupide ?

Celle-ci répond :

- Laisse-moi t'expliquer, Dieu m'a faite belle pour pouvoir t'attirer. Et il m'a faite stupide pour que je te trouve attirant.

213

Quelle est la différence entre une femme et une barrière ?

On n'a pas besoin de dire «je t'aime» à une barrière pour la sauter.

214

Qu'est-ce qu'un homme imaginatif en amour ?

Un homme qui connaît plus de trois positions.

215

Quelle est la différence entre une femme et un miroir ?

Le miroir, lui, il réfléchit.

216

Quelle est la différence entre une femme et une moto ?

La moto est une Suzuki et la femme est une suce-kiki.

217

Deux femmes sont dans un ascenseur. L'une se met à renifler et dit à son amie :

- Tu ne trouves pas que ça le sperme, ici ?

Et l'autre lui dit :

- Excuse-moi, j'ai roté !

218

- Un père dit à son fils :

- Finalement, ta mère et moi on a été heureux pendant 25 ans.

- Et après ?

- Après, on s'est rencontrés...

Un jeune mari rentre le soir chez lui, et sa femme lui saute au cou en lui disant :

- Chéri, j'ai une grande nouvelle ! Je suis en retard d'un mois... Je crois que nous allons avoir un bébé ! J'ai fait le test chez le médecin aujourd'hui... mais tant qu'on aura pas de certitude, on n'en parle à personne.

Le jour suivant, un contrôleur d'Hydro sonne chez elle car ils n'ont pas payé leur dernière facture d'électricité.

- Vous êtes bien Madame Durand ? Vous avez un mois de retard !

- Comment le savez-vous ? balbutia la jeune femme.

- Mais Madame, c'est inscrit sur nos registres.

- Qu'est-ce que vous dites ? C'est inscrit... sur vos registres ?

- Absolument.

Le soir, elle raconte cela à son mari qui, fou de rage, se précipite dès le lendemain aux bureaux d'Hydro-Québec .

- Qu'est-ce que c'est que cette histoire ? hurle-t-il. Vous inscrivez dans vos registres que ma femme a un mois de retard ? De quoi vous mêlez-vous ?

- Écoutez, dit le contrôleur, calmez-vous. Ce n'est pas bien grave. Vous n'avez qu'à l'acquitter et on n'en parle plus...

- La quitter ? Il n'en est pas question ! Je ne la quitterai jamais, ni maintenant ni plus tard !

- Dans ce cas, je vous préviens, si vous refusez de l'acquitter, on va vous la couper !

- Quoi ? Me la couper ? Mais qu'est-ce que deviendra ma femme ?

- Je ne sais pas... elle n'aura qu'à se servir d'une bougie...

220

Un couple très huppé cherche des moyens de faire quelques économies dans le budget familial.

- Marie-Ange, si vous appreniez à faire la cuisine, nous pourrions renvoyer la cuisinière, non ?
- Mon cher, sachez que si vous appreniez à faire l'amour, nous pourrions aussi renvoyer le chauffeur !

221

En conjugaison, le verbe le plus difficile à maîtriser est le verbe «aimer» :

- son présent n'est qu'indicatif,
- son passé n'est jamais simple,
- son futur est toujours conditionnel.

222

Un gars demande à sa femme ce qui lui ferait plaisir comme cadeau pour fêter leur Saint-Valentin.

- Qu'est-ce que tu dirais d'un manteau de fourrure ?
- Bof...
- Et si je te payais un Spider Mercedes ?
- Non, non.
- Que dirais-tu d'une résidence secondaire à la montagne ?
- Non, merci...

Alors, le gars déclare forfait et lui demande :

- Bon, allez, dis-moi ce que tu veux directement, on ira plus vite.
- Je voudrais divorcer
- Aie ! Je n'avais pas prévu de dépenser autant...

223

Un fils demande à son père :

- Papa ! Pourquoi as-tu épousé Maman ?

- Ah bon, toi aussi, tu te poses la question ?

224

Un père se fait sévère avec son gamin de cinq ans.

- Apprends, mon garçon, lui lance-t-il, que dans cette maison, c'est moi qui commande.

Il marque une pause, puis il ajoute, très inquiet :

- Surtout, pas de gaffe ! Ne va pas me faire avoir des histoires en racontant à Maman que je t'ai dit cela.

225

Un sergent instructeur demande à ses hommes :

- Vous roulez en Jeep, un hélicoptère vous pourchasse, que faites-vous ?

Le premier répond :

- Je m'arrête et je me cache dans un buisson.

Réponse du sergent :

- Ouais, pas mal. Et toi, qu'est-ce que tu fais ?

Le deuxième répond :

- Moi, je me cache sous la Jeep.

Réponse du sergent :

- Ouais, c'est moins bien, ça. Et toi, qu'est-ce que tu fais ?

Et le dernier dit :

- Moi, je fais comme les femmes, je mets le clignotant à droite et je tourne à gauche.

226

Un type dit à son copain :

- Tu sais moi, je suis un mari moderne ! J'apporte tous les matins le café au lit à ma femme !

- Je ne te crois pas !

- Si, si, et rendu là, elle n'a plus qu'à le moudre !

227

Pourquoi les femmes se grattent-elles la tête au réveil ?

Parce qu'elles n'ont pas de couilles.

228

Savez-vous à quoi correspondent les lettres A, B, C, D, E, et F pour définir les tailles des bonnets de soutiens-gorge ?

A - Appréciable.

B - Bien.

C - Canon.

D - Dément.

E - Énorme.

F - Faux.

229

Ils ont 12 enfants. 11 enfants blonds, mais le douzième est roux comme du cuivre. Le mari a des soupçons mais ne dit rien.

Son épouse tombe gravement malade et, avant de mourir, elle l'appelle :

- Chéri, j'ai quelque chose à t'avouer...

- À propos du dernier, sans doute ? De qui est-il ?

- De toi, mon ami, tout à fait de toi ! Oui, je t'assure, mais les 11 autres...

230

La scène se passe à la campagne : deux vieilles filles regardent par la fenêtre, un coq est en train de poursuivre une poule, qui court de son mieux, traverse la route... puis, se fait écraser par une voiture.

- Tu vois, dit l'une des vieilles filles à l'autre, elle a préféré mourir.

231

Comment appelle-t-on une femme qui sait où se trouve son mari tous les soirs ?

Une veuve.

232

Un homme rentre chez lui le 31 octobre. Il empoigne sa femme et embrasse ses deux seins. Sa femme lui dit :

- Qu'est-ce que tu fais, là ?

Il répond niaisement :

- Ben, quoi ? C'est la fête de tous les saints !

- Ha !

Le lendemain, ça femme l'empoigne, lui baisse les culottes et lui donne un petit bizou sur le zizi.

Son mari lui dit :

- Qu'est-ce que tu fais, là ?

Et sa femme répond :

- Après la fête des saints, c'est bien la fête des morts, non ?

233

Quel est le féminin de « assis dans le salon » ?

Debout dans la cuisine...

234

Quelle est la différence entre un homme et une bouteille de ketchup ?

Aucune, tous les deux, il faut les brasser pour que ça sorte !

235

Un immeuble flambe...

- Vite, sautons par la fenêtre ! dit un homme à sa femme.

- Mais nous sommes au treizième étage !

- Ce n'est pas le moment d'être superstitieuse, répond le mari.

236

Une mère donne un dernier conseil à sa fille avant qu'elle aille au bal :

- Ma fille, peut-être que ce soir, ou un autre soir, tu vas rencontrer un garçon qui va te plaire. À un moment ou un autre vous allez faire l'amour. Mais l'important c'est qu'il t'aime vraiment. Pour le savoir, demande-lui comment il veut appeler l'enfant. Peu de temps après, la situation se présente :

- Chéri, comment veux-tu appeler ton enfant ?

Le garçon prends la capote, la jette dans les chiottes, et en tirant la chasse dit :

- S'il s'en sort, on l'appellera Mac Gyver...

237

La vie n'est pas sympa avec nous, les hommes.

Quand nous naissons, notre mère reçoit les compliments et les fleurs.

Quand nous nous marions, nos jeunes épouses obtiennent les cadeaux et l'attention de tous.

Et quand nous mourons, nos veuves obtiennent l'assurance-vie...

238

C'est l'histoire de jeunes femmes qui parlent de leurs maris respectifs.

La première :

- Le mien est impuissant à 50 %.

La deuxième :

- Encore, toi, tu as de la chance ; moi, le mien est impuissant à 100 %.

La troisième :

- Oui mais moi, c'est pire ; le mien est impuissant à 200 %.

Et là, les autres se retournent, étonnées :

- Attends, mais c'est impossible ça !

- Mais si... il s'est coupé la langue hier soir.

239

Quelle différence y a-t-il entre un homme qui va faire l'amour et un homme qui a fait l'amour ?

Un homme qui va faire l'amour a le sang qui bout...

Un homme qui a fait l'amour a le bout qui sent...

240

Un père emmène son jeune fils à la chasse pour la première fois et commence à lui expliquer les règles de cette discipline :

- L'essentiel à la chasse, c'est d'être aussi immobile et patient que possible. Il ne faut pas bouger ni même parler pour ne pas effrayer le gibier. Tu as bien compris ?

Le père quitte alors son fils et va se placer en embuscade à près de 500 mètres de l'endroit où reste planqué le fiston. Trente minutes s'écoulent sans que rien ne se passe. Au bout d'une heure, le père entend un grand cri et voit, peu après, son fils arriver en courant dans sa direction.

Le père :

- Mais que se passe-t-il enfin ? Je t'ai demandé d'être le plus calme possible...

Le fils :

- Papa, j'ai su rester calme quand la vipère a rampé sur mes pieds. J'ai su rester calme quand l'ours est passé à cinq mètres devant moi. Mais quand j'ai entendu les deux écureuils qui étaient rentrés dans mon pantalon dire : «On les emporte ou on les laisse sur place ?», j'avoue que j'ai paniqué.

241

Pourquoi les hommes aiment-ils la fellation ?
Pour les 15 minutes de silence qui l'accompagne.

242

Un homme, c'est comme une pomme : on trouve difficilement son cœur, c'est plein de pépins et ça a trop souvent une toute petite queue !

243

Un soir, au hasard d'une conversation, un homme demande à sa femme :

- Et si je décédais, te remarierais-tu ?
- Tu sais bien que j'ai horreur de la solitude !
- Tu me déçois ! Tu ne vas tout de même pas me dire que tu le laisserais coucher dans mon lit et conduire ma voiture ?
- Bien obligée !
- Il porterait aussi mes costumes ?
- Ah non, c'est impossible ça, il est beaucoup plus petit que toi !

244

Un couple se rend à une exposition de peinture.

Le mari reste figé devant un tableau représentant une femme nue dont le sexe est caché par une feuille de vigne. Après un long moment, sa femme lui demande :

- Tu attends l'automne, ou quoi ?

245

Un pauvre homme dans la cinquantaine va bientôt mourir.

Sur son lit de mort, il prend le bras de sa femme et gémit :

- Promets-moi que tu honoreras ma dernière volonté : « je veux que tu te remaries avec Alfred, notre voisin ».
- Mais enfin, lui répond sa femme, je pensais que tu ne pouvais pas le sentir !

À ce moment-là, tout en rendant son dernier soupir, l'homme dit :

- C'est le cas.

246

Une jeune fille confie à son amie :

- Mon rêve, ce serait d'épouser un archéologue.
- Ah bon, et pourquoi ?
- Parce que plus on vieillit, plus il vous aime.

247

Quel est le point commun entre coucher avec un homme et un feuilleton télévisuel ?

Juste quand les choses commencent à devenir intéressantes, l'épisode se termine.

248

Le prétendant de Sylvie va voir son père pour lui demander la main de sa fille :

- Monsieur, je veux épouser votre fille.

- Avez-vous vu ma femme ?

- Oui, mais je préfère votre fille !

249

Que fait une femme dans le lit après l'amour ?
Elle gêne.

250

Un agent règle la circulation au beau milieu d'un carrefour.

Soudain, une voiture surgit comme un bolide, fonce droit sur lui et s'arrête à un centimètre de ses chaussures. Pâle d'émotion, l'agent interpelle le conducteur :

- Vous... vous êtes complètement dingue !

- Excusez-moi, monsieur l'agent, fait le chauffard, mais ma femme avait le hoquet. Alors, j'ai voulu lui faire peur.

251

Un gars va chez son médecin pour lui demander son avis :

- Docteur, j'ai à peine 40 ans et pourtant, quand je me regarde dans la glace, je vois un vieil homme chauve au teint jaune, aux joues creuses, et aux dents qui se déchaussent. Qu'est-ce que c'est ?

- Je n'en sais rien, répond le médecin, mais ce que je peux vous dire, c'est que votre vue est parfaite.

252

Toto est en train de feuilleter l'album de photographies de la famille et il demande à sa mère :

- Maman, qui est ce beau jeune homme en maillot avec toi sur la plage ?

Très mélancoliquement, sa mère lui répond :

- C'était il y a 20 ans, mon chéri. C'est ton père...

- C'est Papa ? Mais alors, qui est ce vieux monsieur chauve qui vit à la maison ?

253

Une femme passe toutes ses soirées suspendue au téléphone avec ses copines.

Mais cette fois-là, la femme fait un appel et raccroche après à peine 15 minutes.

Son mari lui demande :

- Qu'est-ce qui se passe, tu t'es fâchée avec une copine ? Tu n'as même pas parlé une heure aujourd'hui !

- Je le sais, je me suis trompée de numéro !

254

Un gars se rend chez son médecin pour faire un examen. Après plusieurs tests, le docteur lui dit :

- J'ai bien étudié les résultats de vos tests, et j'ai une bonne et une mauvaise nouvelle pour vous : vous avez une personnalité homosexuelle cachée.

- Oh non, c'est affreux ! Et quelle est la bonne nouvelle ?

Le docteur répond :

- Je trouve que vous êtes plutôt mignon.

255

Un jeune homme d'une famille plutôt huppée est en pleine procédure de divorce.

Son avocat l'appelle avec des nouvelles au sujet du règlement du partage des biens.

L'avocat :

- J'ai une bonne et une mauvaise nouvelles. La bonne, c'est que votre épouse ne revendique aucune part de votre futur héritage.

Le jeune homme :

- Super ! Mais quelle est la mauvaise nouvelle alors ?

L'avocat :

- Eh bien, la mauvaise nouvelle, c'est qu'une fois votre divorce prononcé, elle épousera votre père !

256

Un homme vante la beauté de sa femme à ses copains depuis pas mal de temps. Quand celle-ci se montre enfin à eux, ils constatent qu'elle a un œil plus haut que l'autre, le teint verdâtre, le nez de travers...

Les amis sont très étonnés, et l'homme d'expliquer :

- Ah bien sûr, si vous n'aimez pas Picasso...

257

Un couple vient de se coucher. Le type a vraiment envie de faire l'amour. Mais sa compagne réplique qu'elle a un rendez-vous chez le gynécologue et qu'elle veut rester fraîche. Un peu plus tard, le type lui refait des avances et elle refuse pour le même motif. Puis dans l'obscurité de la chambre à coucher, il lui dit :

- Oui mais, tu n'as pas de rendez-vous chez le dentiste demain !

258

À la maternité, un nouveau père, inquiet, demande à la sage-femme :

- Trouvez-vous que mon fils me ressemble ?

- Oui, mais ce n'est pas grave... L'essentiel, c'est qu'il soit en bonne santé.

259

Le soupirant dit à la demoiselle de ses rêves :

- Vous me repoussez parce que je suis pauvre, mais si j'avais des millions, vous m'épouseriez tout de suite !

- Merci, dit la jeune fille, c'est un très beau compliment.

- Vous appelez cela un compliment ?

- Réfléchissez ! Tous mes soupirants me disent que j'ai de beaux yeux, une taille magnifique, que je suis très belle... Mais vous êtes le premier à vous rendre compte que je suis également intelligente !

260

Monsieur Fortin arrive chez lui, complètement retourné.

- Te rends-tu compte ? lance-t-il à sa femme. Hier, mon patron a trouvé sa femme au lit avec un homme. D'un coup, il est tombé raide mort. J'espère que cela ne m'arrivera pas !

- Mais non, répond madame Fortin, tu n'es pas cardiaque, toi !

261

Une femme est allongée sur la chaussée le long du trottoir. Un agent s'approche :

- Que vous est-il arrivé ? Vous avez eu un malaise ? demande-t-il, inquiet.

- Non, non, pas du tout, je garde la place pour que mon mari puisse se garer !

262

Une femme demande à son mari :

- Chéri, où as-tu donc rangé le livre L'art de devenir centenaire ?

- Je l'ai mis à la poubelle.

- Et pourquoi donc ?

- J'ai surpris ta mère qui commençait à le lire...

263

Un homme lit le journal et dit à son épouse :

- Savais-tu que les femmes utilisent 30 000 mots par jour et les hommes 15 000 ?

La femme lui répond :

- C'est facile à expliquer, il faut toujours répéter deux fois la même chose aux hommes.

L'homme se retourne et dit :

- Quoi ?

264

Un mari dit à sa femme sur le point d'accoucher :

- Si le bébé te ressemble, ça va être extraordinaire.

La femme répond :

- Si le bébé te ressemble, ce sera un miracle !

265

Dans une maternité, l'infirmière dit à une jeune mère :

- Votre bébé est un vrai petit ange, une fois couché il ne bouge plus.

La jeune mère répond :

- Tout le portrait de son père !

266

Sur son tabouret de bar, un homme boit sa bière à petites gorgées. Il a une mine de chien battu. Le cafetier vient le voir pour parler un peu avec lui et demande :

- Qu'est-ce qui se passe ? Tu n'aurais pas des problèmes avec ta femme, toi ?
- Ouais, c'est ça ! On a eu une bagarre et elle m'a dit qu'elle ne me parlerait plus pendant un mois !
- Ben dis donc, tu devrais plutôt être heureux, non ?
- Ouais, sauf que le mois se termine aujourd'hui...

267

Définitions de la femme :

Définition philosophique : la femme est un sujet sur lequel l'homme aime s'étendre. Définition zoologique : la femme est un animal sans poil dont la peau est très recherchée.

Définition mathématique : la femme est un ensemble de courbes qui fait lever une ligne droite.

Définition géographique : la femme est comme le globe terrestre. Entre 15 et 25 ans, elle est comme l'Afrique, chaude et à moitié inexplorée. Entre 25 et 35 ans, elle est comme l'Asie ; exotique et mystérieuse. Entre 35 et 45 ans, elle est comme l'Amérique : déjà bien connue, mais encore belle et pleine de ressources. Entre 45 et 55 ans, elle est comme l'Europe : traversée de long en large, et fatiguée, mais vous pouvez encore trouver des endroits intéressants. Entre 55 et 65 ans, elle est comme l'Australie. Tout le monde sait où elle se trouve, mais personne ne pense réellement à y aller.

268

Lors d'un dîner en amoureux, Jean dit à Natacha :

- Tu sais Natacha, tu es comme le « H » de Hawaï.

- Vraiment ? lui répond Natacha flattée.

- Oui, tu ne sers à rien !

269

Quelle est la différence entre une femme enceinte et une tarte brûlée ?
Aucune : dans les deux cas, on ne l'a pas retirée assez vite.

270

- Moi, dit un type à l'un de ses copains, je n'ai jamais fait l'amour avec
  ma femme avant notre mariage. Et toi ?

- Attends que je réfléchisse, fait l'autre, peux-tu me rappeler son nom
  de jeune fille ?

271

Un couple entre dans un restaurant et s'assoit près d'un autre couple.
L'homme du premier couple dit alors à sa femme :

- S'il te plaît, passe-moi le sucre, Sugar.

Sa femme lui passe le sucre, heureuse d'être appelée Sugar. Un peu
plus tard, il lui dit :

- Passe-moi le miel, Honey.

La femme lui passe tout de suite le miel. Alors, la femme du deuxième
couple dit à son mari :

- J'aimerais que tu m'appelles par de jolis noms comme le fait le mari
  de cette femme.

- Ok, passe-moi la crème, Épaisse !

272

La femme arrive à la caisse d'un magasin et ouvre son sac à main.

- Voyons ! Je ne trouve pas mon porte-monnaie.

Elle sort de son sac à main, une à une, toute une panoplie de choses, dont la télécommande d'un téléviseur.

- Maman, dit sa fille qui l'accompagne, qu'est-ce que tu fais avec la télécommande ?

- Ça ? C'est pour punir ton père qui a refusé de venir magasiner avec nous...

273

Quelle est la différence entre les seins d'une femme et un train électrique ?
Aucune, c'est fait pour les enfants mais c'est Papa qui joue avec.

274

Un homme marié depuis plusieurs années crie à sa femme :

- Apporte-moi une bière avant que ça commence !

La femme apporte gentiment une bière à son mari. Pourtant, une demi-heure plus tard, l'homme crie :

- Apporte-moi une bière avant que ça commence !

La femme apporte de nouveau une bière. Puis, une demi-heure plus tard, l'homme crie encore :

- Apporte-moi une bière avant que ça commence !

La femme s'impatiente et dit :

- Avant que quoi commence, au juste ? Et tu pourrais aller te les chercher, tes bières...

Sur ce, le mari ronchonne :

- Ca y est, ça commence !

275

Un homme constate : nous nous tenons toujours la main car si je la lâche, alors elle magasine.

276

À 11 heures du soir, le téléphone sonne dans un bar. Le garçon répond et dit à un homme, occupé à boire du Beaujolais depuis une heure.

- C'est votre femme.

- Ah, elle... s'impatiente... parce que je... ne suis... pas encore rentré ?

- Pas du tout. Elle m'a simplement chargé de vous dire que vous trouverez votre pyjama et votre brosse à dents dans le jardin, près de la niche du chien où vous pourrez finir la nuit, tandis que vous cuverez votre vin.

277

- Chef, pourrais-je quitter le bureau trois heures plus tôt, pour pouvoir aller magasiner avec ma femme ?

- Il n'en est pas question !

- Merci, Chef. Je savais que vous ne me laisseriez pas tomber.

278

Un homme va dans un bar et commande une bière. Il la boit d'un coup, regarde dans sa poche et en commande une autre. Il la boit et regarde de nouveau dans sa poche. Après avoir fait cela plusieurs fois, le serveur lui demande :

- Pourquoi après chaque bière, regardez-vous dans votre poche ?

- Dans ma poche, il y a une photo de ma femme. Quand je la trouverai belle, je rentrerai à la maison...

279

Un gars rentre chez lui, pas mal fru.

- Tu me trompes, je le sais! Alors combien d'amants as-tu eus depuis
  qu'on est mariés, hein? Et ne crois pas que je vais me laisser faire!

Alors, le gars s'en va en jetant le vase que la belle-mère leur a offert.
Il va dans la cuisine, s'ouvre une bière puis, un peu penaud, il revient
voir sa femme.

- Excuse-moi, j'étais énervé, je ne savais plus ce que disais...

Sa femme reste silencieuse.

- Excuse-moi, je te dis... Écoute, tu ne vas pas faire la tête, je te dis
  que je me suis emporté. Sa femme lève la tête.

- Je ne fais pas la tête, je compte.

280

Définitions du mariage:

Définition religieuse: acte religieux qui consiste à créer un crucifié
de plus et une vierge de moins.

Définition juridique: sentence dont le condamné (à perpétuité) sera
libéré uniquement pour mauvaise conduite.

Définition de la vie courante: aucune femme n'a ce qu'elle espérait
et aucun homme n'espérait ce qu'il a.

Définition mathématique: somme d'emmerdes, soustraction de libertés,
multiplication de responsabilités, division des biens.

Définition pondérale: méthode la plus rapide pour grossir.

Définition militaire: c'est la seule guerre où l'on dort avec l'ennemi.

Définition philosophique: sert à résoudre des problèmes que l'on n'aurait jamais eus en restant célibataire.

281

Une femme rentre à la maison et dit à son mari :

- Il faut renvoyer le chauffeur, cela fait deux fois qu'il essaye de me tuer !

- Laisse-lui encore une chance, répond le mari.

282

En rentrant du travail, un jeune papa est accueilli par son épouse, radieuse :

- Mon chéri, c'est formidable ! Notre bébé a dit son premier mot...

- Ah oui ? répond le mari. C'est super ! Qu'est-ce qu'il a dit ?

- Ah, là, tu vas être content : il a dit « PAPA » !

- Ce n'est pas vrai ! Qu'il est mignon ce petit bout de chou ! Et ça s'est passé quand ?

- Tout à l'heure, au zoo, devant la cage du gorille.

283

Ma femme hésitait au sujet de ce qu'elle voulait pour notre prochain anniversaire. Elle m'a dit :

- Je veux quelque chose qui ait du punch et qui passe de zéro à 200 en l'espace de trois secondes.

Je lui ai donc acheté une balance.

284

Tout joyeux, un homme finit de se raser dans la salle de bains. Il crie à sa femme, qui est dans la chambre :

- Tu sais chérie, quand je suis rasé de près, on dirait que j'ai 20 ans.

Et elle lui répond :

- Tu devrais te raser le soir alors.

285

Demandez à n'importe quel homme ce qui, selon lui, est le fantasme le plus courant chez les femmes ; il vous répondra sans hésiter que c'est d'avoir deux mecs en même temps...

Eh bien, une récente enquête sociologique vient de démontrer que c'est tout à fait vrai : l'un des hommes ferait la cuisine, tandis que l'autre nettoierait la maison...

286

Une jeune fille prend place dans le confessionnal.

Elle se penche à la grille du parloir et commence :

- Pardonnez-moi mon père, parce que j'ai péché.

- Allez-y mon enfant, parlez, quel péché avez-vous commis ?

- Mon père, j'ai commis le péché de vanité. Deux fois par jour, je me contemple devant le miroir en me disant que je suis magnifique.

À ce moment-là, le curé se penche sur la grille et observe longuement la jeune fille, puis il lui dit :

- Mon enfant, j'ai une bonne nouvelle pour vous : ce n'est pas un péché, c'est simplement une erreur.

287

Un grand avocat défend son client contre son ex-femme pour lui obtenir la garde des enfants et dit au juge :

- Monsieur le juge, quand vous mettez une pièce dans la fente d'un distributeur de canettes, à qui est la canette ? À vous ou au distributeur ?

- À moi bien sur, répond le juge.

- Donc les enfants appartiennent bien à mon client...

288

Il dit :

- Tu es ravissante.

Il veut dire :

- Oh non, s'il te plaît, n'essaie pas encore une autre tenue. J'en ai marre et j'ai faim !

289

Quand un homme parle de sexe à une femme, c'est du harcèlement.

Quand une femme parle de sexe à un homme... C'est 3,95 dollars la minute !

290

Un étudiant rentre chez ses parents après plusieurs mois passés à l'étranger.

Il commence par raconter son séjour, jusqu'à ce que l'heure du repas arrive.

- Je vais mettre la table, dit-il à sa mère.

En ouvrant le frigo, le fiston trouve la playmate d'un numéro de Playboy scotchée à l'intérieur.

- Dis Maman, c'est quoi ça ? demande le gosse en souriant.

- Oh, j'ai mis cette photo là, pour me rappeler de ne pas trop manger. Comme ça, à chaque fois que je vais au frigo, je me rappelle quel corps j'aimerais avoir.

- Et ça marche ? demande son fils incrédule.

- Oui et non, poursuit la mère. Moi, j'ai bien perdu cinq kilos, mais ton père en a pris 10 !

291

Deux jeunes mariés rentrent dans leur appartement. Ils habitent au 2054e étage, et il n'y a pas d'ascenseur. Alors qu'ils montent la première dizaine de marches, la femme dit à son mari :

- Chéri, j'ai quelque chose à te dire.

- Ne m'énerve pas, tu me diras ça une fois arrivés en haut.

Après une heure, enfin arrivés au 2054e étage, la femme annonce :

- Chéri, j'ai oublié les clés en bas !

292

Un couple de petits vieux prend son déjeuner, un matin d'été dans la véranda. Ils sont torses nus, et la vieille, dont les seins pendent jusqu'au nombril, voire même plus bas, dit à son homme, dont les testicules sont eux aussi bien plus bas que la normale :

- Quand je te vois là, torse nu, ça me fait tout chaud au cœur !

Le vieux lui répond :

- C'est normal, ton sein gauche trempe dans ton cacao !

293

En arrivant à la maison hier soir, ma femme me demande de la sortir dans un endroit cher. Je l'ai amenée à la station-service.

294

Une dame dit à son mari :

- Chéri, je vais chez la voisine pour lui emprunter un peu de persil... J'en ai pour cinq minutes !

- Ok !

- Et n'oublie pas d'arroser le poulet toutes les demi-heures !

76

295

Ma femme et moi étions assis à une table, lors d'un conventum d'anciens du secondaire. Je regardais sans cesse une femme complètement saoule, buvant drink après drink, seule à sa table.

Ma femme me demande :

- Tu la connais ?

- Oui, lui dis-je en soupirant. C'est mon ex-blonde. J'ai su qu'elle a commencé à boire la journée où nous avons rompu il y a plusieurs années, et qu'elle n'a plus jamais été sobre depuis…

- Oh mon Dieu, me dit ma femme, qui aurait pu penser que quelqu'un pouvait célébrer une bonne nouvelle aussi longtemps ?

296

Deux femmes discutent de leur vie sentimentale. L'une d'entre elles dit :

- Je suis une excellente gardienne : chaque fois que je divorce, c'est moi qui garde la maison !

297

Un monsieur boit paisiblement un Pepsi lorsqu'il voit arriver sa femme avec une nouvelle robe. Il proteste :

- Enfin, voyons tu en as déjà acheté trois ce mois-ci… Ça commence à me coûter beaucoup trop cher !

- C'est le diable qui m'a tentée.

- Tu n'avais qu'à lui dire : «Arrière, Satan !»

- Mais, c'est ce que j'ai fait.

- Et alors ?

- Alors, il est passé dernière moi et m'a dit : «De dos, elle vous va encore mieux…»

298

Un type rencontre un ami. Il lui dit :

- Hier, j'ai rencontré ta femme dans le métro et je lui ai raconté une blague. Elle a tellement rigolé qu'elle est tombée du lit...

299

Un soir, un homme rentre du travail et trouve un grand chaos qui règne dans la maison...

Ses enfants, encore en pyjamas, jouent dans la boue du jardin. Sur le gazon, tout autour de la maison, il y a des cartons de repas congelés et des boîtes de jus de fruits par terre.

Quand il entre dans la maison, c'est encore pire. La vaisselle sale est éparpillée dans toute la cuisine, le repas du chien est renversé sur le sol, la vitre est brisée et ses morceaux traînent par terre, il y a du sable par terre, sur la table de la cuisine et les meubles.

Dans la salle de séjour, il trouve des jouets, des vêtements et une lampe renversée.

À ce moment, l'homme a très peur qu'un malheur ait touché sa femme. Il se précipite au deuxième étage et là, stupéfait, il trouve sa femme en pyjama, assise dans le lit en train de lire.

Elle se retourne en souriant et lui demande :

- Comment était ta journée ?

- Mais que s'est-il passé ici aujourd'hui ?

- (Souriante...) Tu sais, chaque jour en rentrant, tu me demandes ce que j'ai fait durant la journée et quand je réponds que je me suis occupée de la maison et des enfants, tu me dis : « C'est tout ? Eh bien moi, aujourd'hui, je n'ai pas fait grand chose non plus ! »

300

Une femme a résolu de quitter le domicile conjugal. Elle fait sa valise, la charge dans un taxi auquel elle donne l'adresse de ses parents. Puis, prise de remords, elle fait faire demi-tour au chauffeur.

- Je reviens, annonce-t-elle à la bonne. Apportez-moi une bouteille de champagne pour fêter notre réconciliation.

- Cela va faire beaucoup pour monsieur, dit la domestique. Il en a déjà bu deux pour fêter votre départ.

301

C'est la nuit des noces. Au milieu de la nuit, la jeune mariée se réveille, soupire, s'étire, secoue son mari. Celui-ci se réveille et demande :

- Qu'est-ce qui t'arrive, chérie ? Tu n'arrives pas à dormir ?

- Oh, non, je ne peux pas. Tu sais, quand j'étais petite et que je n'arrivais pas à m'endormir, ma mère me prenait dans son lit, m'embrassait, me câlinait... et j'arrivais à m'endormir très vite après.

- Non mais, et puis quoi encore ? Tu voudrais peut-être que j'aille te chercher ta maman au beau milieu de la nuit ?

302

Louise rencontre son ex dans une réception. Il est accompagné de sa nouvelle blonde, une cuisinière. Il est radieux. L'hôtesse, qui ignore qu'ils sont en froid, les a placés à la même table. L'une des invitées, toujours en compétition avec Louise, lance à haute voix :

- Wow ! On a l'impression que sa nouvelle femme lui rend la vie heureuse à ton Paul ?

- Oui, mets-en ! En bonne cuisinière qu'elle est, elle se débrouille bien avec les restes...

303

Philippe rentre du travail et trouve Mathilde nue devant le miroir en train d'admirer sa poitrine.

- Qu'est-ce qui t'arrive ?

- Eh bien, je suis allée chez le docteur cet après-midi, et il m'a dit que j'avais les seins d'une jeune fille de 18 ans ! C'est bien, hein ?

- Ah oui, ricane Philippe, et qu'est-ce qu'il a dit de ton trou du cul de 40 ans ?

- Rien. On n'a pas parlé de toi.

304

Deux petits vieux discutent sur un banc.

L'un dit à l'autre :

- Je crois que ma femme devient sourde.

L'autre répond :

- C'est simple, pour le savoir, lorsque tu rentreras, parle-lui à cinq mètres, puis à quatre mètres, puis à trois mètres et enfin, tout près d'elle. Comme ça, tu te rendras compte si c'est grave ou pas.

Fort de ce conseil, lorsqu'il rentre chez lui, le petit vieux s'adresse à sa femme, qui est assise près de la fenêtre à environ cinq mètres de l'entrée...

- Chérie, qu'est-ce qu'on mange ce soir ?

Pas de réponse ! Il se rapproche à quatre mètres et repose la même question. Toujours pas de réponse ! À trois mètres, c'est la même chose. Puis enfin, tout près d'elle :

- Chérie, qu'est-ce qu'on mange ce soir ?

Et là, sa femme lui répond enfin :

- Pour la quatrième fois, de la salade et du jambon !

305

La mariée descend l'allée et quand elle atteint l'autel, le marié se trouve là, lui aussi, avec son sac et ses bâtons de golf à ses côtés.

Elle lui demande :

- Qu'est-ce que tes bâtons de golf font ici ?

Il la regarde droit dans les yeux et dit :

- Cela ne va pas prendre toute la journée, n'est-ce pas ?

306

Quelle est la différence entre les hommes et le chocolat ?

Le chocolat donne du plaisir à chaque fois.

307

Un homme et une femme mangent au restaurant. La serveuse voit l'homme qui, doucement, glisse de sa chaise jusqu'en dessous de la table, alors que la femme semble ne pas y faire attention.

Alors, la serveuse lui chuchote :

- Madame, je pense que votre mari est sous la table.

- Non, il n'y est pas, dit la dame. Mon mari, vient juste d'entrer dans le restaurant, en passant par la porte...

308

Quel type de nourriture réduit l'activité sexuelle des femmes de 90 % ?

Leur gâteau de mariage.

309

- Docteur ! Mon mari affirme que je parle en dormant. Que puis-je faire ?

- Faire bien attention à ce que vous dites !

310

Un couple fait l'amour. Et la femme, en pleine extase, murmure :

- Chéri, dis-moi que tu m'aimes... Son partenaire ne répond pas.

- Chéri, dis-moi que tu n'aimes... Toujours pas de réponse.

- Chéri, je t'en supplie, dis-moi que tu m'aimes... Alors l'homme s'écrie :

- Tu vois bien que je suis occupé !

311

Une fille demande à sa mère :

- Mon fiancé a demandé ma main.

- Il te plaît ? demande la mère.

- Oui, mais il y a une chose qui me tracasse : il a des idées bizarres,
  il ne croit pas à l'enfer.

- Qu'il t'épouse et il y croira.

312

Deux amis sirotaient tranquillement un café, lorsque la sirène des
pompiers se mit à retentir. Brusquement, l'un d'eux se leva et dit :

- Excuse-moi, le devoir m'appelle...

- Mais tu n'es pas pompier volontaire !

- Moi non, mais le mari de Sylvie, si !

313

Un monsieur est à l'hôpital, la tête enveloppée d'un solide pansement.
Son infirmière lui dit :

- Mon pauvre monsieur, votre femme doit vous manquer ?

Ce dernier répond :

- D'habitude oui, mais cette fois-là, elle m'a eu !

314

Deux amies de longue date discutent, dans le cadre de feutre d'un célèbre salon de thé.

L'une d'elle regarde avec envie son amie, qui arbore une nouvelle fourrure, un renard argenté de la plus belle facture. Curieuse, elle lui demande :

- Je n'arrive vraiment pas à comprendre comment tu fais pour convaincre ton mari de t'offrir ce genre de cadeau à tout bout de champ !
- Oh, mais ce n'est pas lui qui me l'a offert...
- Ne me dis pas que tu as un amant !
- Non, non, mais je me le suis offerte toute seule.
- Ah mais, comment as-tu trouvé l'argent ?
- Oh, ça c'est facile. Un jour sur deux, je dis à mon mari que j'ai décidé de le quitter et de rentrer chez ma mère. Et à chaque fois, il me donne l'argent du billet d'avion.

315

Deux copines prennent un café en discutant. La première remarque que l'autre est toute bizarre. Elle lui demande :

- Quelque chose te préoccupe, on dirait ? Tu as l'air anxieux...

La seconde répond :

- Si tu savais ! Mon petit ami vient tout juste de perdre toutes ses économies en bourse !

La première :

- Oh, c'est vrai, c'est vraiment dommage. Je suis sûre que tu dois beaucoup t'en faire pour lui !

La seconde :

- Oui c'est vrai, il me manquera.

316

- Oh non, chérie, ne me dis pas que tu as encore simulé cette fois ?
- Non, non, cette fois, j'étais vraiment endormie !

317

Une femme raconte son rêve à son mari :
- J'ai roulé toute la nuit à vélo.
Son mari lui raconte son rêve :
- Moi, j'ai rêvé que je faisais l'amour toute la nuit.
La femme lui répond :
- Avec moi, j'espère.
L'homme dit :
- Non, tu étais partie à vélo.

318

La première fois que je t'ai vu, je suis tombé à tes pieds, non pas par amour, mais parce que j'ai glissé !

319

Le père, divorcé depuis 15 ans, dit à sa fille qui vient d'avoir ses 18 ans.
- Élisabeth, voici le chèque de pension alimentaire à remettre à ta mère. Tu lui diras qu'enfin, c'est le dernier, et à ce moment-là, egarde bien sa tête !
Élisabeth se rend chez sa mère et exécute point pour point le message de son père. La mère, sans hésitation, réplique en disant à sa fille :
- Vas voir ton père et dis-lui que je le remercie beaucoup, dis-lui également qu'il n'est pas ton père, et regarde bien sa tête à ce moment-là !

Madame : Allez... S'il te plaît, chéri !

Monsieur : Non. Laisse-moi tranquille.

Madame : Allez, ça ne te prendra pas trop de temps.

Monsieur : Après, je ne saurai pas me rendormir.

Madame : Mais sans ça, je ne pourrai pas dormir.

Monsieur : Je voudrais bien savoir pourquoi tu penses à des trucs pareils au beau milieu de la nuit !

Madame : Parce que je suis brûlante !

Monsieur : Toi, tu es chaude au pire moment, vraiment.

Madame : Si tu m'aimais, je ne devrais pas avoir à insister comme maintenant pour que tu le fasses.

Monsieur : Si tu m'aimais MOI, tu aurais plus de considération pour moi.

Madame : Alors tu ne m'aimes plus.

Monsieur : Mais si je t'aime, mais laisse tomber ça pour cette nuit, Ok ?

Madame : (Elle sanglote.)

Monsieur : (Il soupire.) D'accord, je vais le faire, tu as gagné.

Madame : Qu'est-ce qui se passe chéri ? Tu as besoin d'éclairage ?

Monsieur : Je ne trouve pas...

Madame : Ben vas-y à tâtons, tu vas quand même bien y arriver.

Monsieur : Ça y est, voilà. J'y suis. Alors, heureuse ?

Madame : Ah, enfin, OUI ! Comme ça fait du bien !

Monsieur : Bon, la prochaine fois que tu voudras dormir la fenêtre ouverte, tu iras l'ouvrir toi-même !

321

Deux copains, qui ne s'étaient pas vus depuis longtemps, se rencontrent :

- Viens déjeuner à la maison, dit le premier. Je vais passer un coup de fil à ma femme pour la prévenir.
- Tu ne crains pas de la prendre au dépourvu ? s'inquiète le second.
- Ça alors, aucun risque ! Je peux lui téléphoner à n'importe quelle heure pour lui annoncer que je ramène un ami, elle est prête. Elle saisit sa valise et file chez sa mère.

322

Un père prend la main de sa fille dans sa main et la tapote doucement :

- Le jeune garçon qui te fréquente depuis six mois est venu aujourd'hui me demander ta main et j'ai donné mon consentement.
- Oh Papa, s'exclame sa fille, comme cela va être dur de quitter Maman !
- Je te comprends parfaitement ma chérie, et j'ai une bonne nouvelle : tu peux l'emporter avec toi !

323

- Alors, tu as fini par divorcer ?
- Oui ! Elle était trop gamine… À chaque fois que je prenais un bain, elle arrivait par derrière et elle coulait tous mes bateaux !

324

Une actrice de théâtre se plaint à une collègue :

- Mon fiancé est d'une jalousie maladive : il m'accuse de le tromper alors que depuis six mois, je n'ai eu qu'un seul amant, le pompier de service.
- Oui, mais tu oublies de préciser qu'il change tous les soirs !

325

Les chiens, c'est mieux que les filles parce que...

1. Le chien ne pleure pas (sauf pour aller faire pipi).

2. Le chien aime que vos amis vous rendent visite.

3. Le chien ne vous demande pas de lui téléphoner si vous rentrez tard.

4. D'ailleurs, plus vous rentrez tard, et plus le chien est content de vous voir !

5. Le chien vous pardonne si vous jouez avec un autre chien.

6. Le chien ne fait aucune remarque si, par mégarde, vous l'appelez du nom d'un autre chien.

7. Le chien adore que vous laissiez des tas de choses traîner par terre.

8. L'humeur du chien reste la même tout au long du mois.

9. Le chien ne reçoit jamais la visite de sa famille.

10. Aucun chien n'achèterait des albums de Céline Dion ou de Lara Fabian.

11. Aucun chien ne grossit de 50 kilogrammes après avoir atteint sa maturité.

12. Le chien admet très bien que vous éleviez la voix pour faire valoir votre point de vue.

13. Le chien préfère dîner d'un hamburger plutôt que de langouste.

14. Le chien est prêt 24 heures sur 24.

15. Le chien n'a que faire de recevoir des fleurs, des cartes postales ou des bijoux.

326

Deux copines :

- Quand tu pars en vacances, il ne faut pas s'encombrer. Tu dois te limiter au strict nécessaire. Laisse ton mari ici, pour commencer.

327

Une femme, qui commence à prendre de l'embonpoint, se rend chez son gynécologue pour confirmer sa grossesse. Celui-ci lui dit que c'est un problème d'aérophagie, ou plutôt, que du gaz s'accumule dans son utérus. La femme est très déçue, forcément. Furieuse, elle rentre chez elle et interpelle son mari :

- Dis Gérard, qu'est-ce que tu as dans le caleçon, des couilles ou une pompe à vélo ?

328

Mon père, j'ai commis le péché de chair.

- Avec qui, mon fils ?
- Je ne peux pas vous le dire.
- Je vais vous aider, mon fils. Avec la bouchère ? Avec l'épicière ? Avec la fille du dépanneur ?
- Je ne peux rien vous dire, mon père.

En sortant, il rencontre son copain :

- D'où viens-tu ?
- De me confesser. Je n'ai pas eu l'absolution, mais j'ai eu trois bonnes adresses !

329

En lisant l'horoscope que publie son magazine féminin préféré, une dame dit, d'un ton désolé, à son mari :

- Oh, comme c'est bête ! Mais comme c'est bête !
- Quoi donc ?
- Si tu étais né seulement un jour plus tôt, alors tu serais intelligent, courageux et passionné.

330

Une vieille dame va se confesser à l'église :

- Mon père, dit-elle, je m'accuse d'avoir trompé mon mari.

- Ah bon, fait le curé, et quand ça ?

- Euh... il y a 32 ans...

- 32 ans ? Mais ça n'a plus beaucoup d'importance, chère madame.

- C'est possible, mais ça me fait plaisir de temps en temps d'en reparler à quelqu'un...

331

Un homme et sa femme se chicanent le jour de leur 40ème anniversaire de mariage.

Le mari crie :

- Quand tu vas mourir, je vais t'acheter une pierre tombale qui dira : « ici repose ma femme, froide comme toujours ».

- Oui, répond la femme, quand tu vas mourir, moi je vais en acheter une où on pourra lire : « ici repose mon mari, enfin dur » !

332

Une femme dit à son mari :

- Comme c'est bizarre, un homme de ta stature qui a de si petits pieds...

- Le mari s'empresse de lui répondre :

- Oui, chérie, ma mère me faisait porter des souliers trop petits pour moi, c'est pour ça qu'aujourd'hui, j'ai de petits pieds.

Alors, son épouse lui dit :

- Elle aurait dû te faire porter des couches plus grandes !

333

Le président du tribunal interpelle le prévenu :

- Pourquoi avez-vous jeté votre femme sur les rails au moment où le train arrivait ?

- Parce qu'il était grand temps de la mettre sur la bonne voie !

334

Le mari :

- Cela fait cinq ans qu'on est mariés, et on n'est jamais parvenus à être d'accord sur quoi que ce soit.

La femme :

- Tu as tort, cela fait six ans qu'on est mariés.

335

Dans une petite ville de province, une petite entreprise a la singularité de ne compter parmi ses employés que des hommes mariés.

Une jeune femme, ayant appliqué pour un emploi dans cette société et venant d'être refusée, décide de ne pas se laisser faire :

- Pourquoi n'embauchez-vous que des hommes mariés ? Est-ce parce que vous pensez que les femmes sont faibles, idiotes, cancanières... ou autre chose encore ?

La personne chargée du recrutement :

- Vous n'y êtes pas, madame. Si je n'embauche que des hommes mariés, c'est uniquement parce qu'ils ont l'habitude d'obéir aux ordres, qu'ils savent ce que c'est que d'être poussés au cul, et qu'enfin, ils savent se taire et encaisser sans broncher, ni faire la gueule à chaque fois que je leur crie dessus...

336

Une dame de 80 ans est arrêtée pour vol à l'étalage. Elle se présente devant le juge, accompagnée de son mari.

Le juge :

- Qu'avez-vous volé, madame ?

- Une boîte de sardines en conserve, monsieur !

Le juge lui demande la raison de ce vol.

- Parce que j'avais faim !

Le juge lui demande alors combien il y avait de sardines dans la boîte.

- Six, monsieur…

Alors, le juge prononce sa sentence :

- Vous ferez donc six jours de prison.

À ce moment, le mari lève la main, demandant au juge s'il peut dire quelque chose.

- Que voulez-vous dire, monsieur ?

- Elle a aussi volé une boîte de conserve de petits pois, votre Honneur !

337

Pourquoi l'homme penche-t-il la tête quand il réfléchit ?

Pour que ses deux neurones entrent en contact.

338

Les tâches ménagères étaient celles de la femme mais un soir, Johanne arrive du travail pour trouver les enfants lavés, une brassée de lessive dans la laveuse et une autre dans la sécheuse. Le souper était sur la cuisinière et la table mise. Elle en fut très étonnée. La raison en était que Jean, son époux, avait lu un article qui mentionnait que les femmes, qui travaillaient à temps plein et qui devaient faire toutes les tâches ménagères, étaient trop fatiguées pour faire l'amour. La soirée se passa bien et le lendemain, Johanne en fit part à ses compagnes de travail :

- Hier, nous avons eu un très bon souper. Jean a même nettoyé après. Il a aidé les enfants pour leurs devoirs, plié les vêtements et les a même rangés. J'ai eu une soirée formidable !
- Mais que s'est-il passé après ? »
- Oh, c'était parfait aussi, Jean était trop fatigué...

339

Que sont les préliminaires selon un homme ?
Il s'agit de mendier pendant une demi-heure.

340

Après le mariage, mari et femme sont comme les deux faces d'une pièce de monnaie : ils ne peuvent pas se voir, mais ils restent ensemble.

341

Encore une histoire pour les machos :
Quand la voiture devant vous freinera brusquement ;
Quand vos pneus glisseront sur la glace noire ;
Quand votre cœur battra à 150 ;
Quand votre vie défilera devant vous ;
Quand votre propre cri vous fera peur ;
Quand vous supplierez le ciel à genoux ;
Vous regarderez votre conjointe prise de panique, alors vous penserez que vous n'auriez JAMAIS dû la laisser conduire. Utilisez votre tête, l'hiver peut vous piéger !

342

Un très vieil homme pleure tout seul sur le trottoir. Un agent de police passe à côté de lui et le regarde pleurer. Finalement, il lui demande :

- Mais qu'y a-t-il, monsieur ?
- Ben voyez-vous, j'ai 71 ans et je suis marié à une jeune fille de 20 ans.
- Mais c'est très bien, il n'y a aucune raison de pleurer.
- Mais ma femme est superbe, elle est belle, bien faite, avec des formes splendides et un visage d'ange...

Et il pleure de plus belle.

- Raison de plus. Arrêtez de pleurer, voyons !
- Et quand je rentre chez moi, elle me prépare des plats succulents. Elle cuisine tellement bien.

Le flic s'énerve :

- Mais bon Dieu ! Arrêtez de pleurer !
- Et au lit, dit le vieil homme entre deux sanglots, elle me fait des trucs… c'est fou.
- Ça suffit maintenant, dit le flic sur un ton sévère, vous n'avez aucune raison de vous plaindre !
- Mais, JE NE SAIS PLUS OÙ J'HABITE, BOUHOUHOUH...

343

Lui : Pourquoi tu restes avec moi ?
Elle : Pour avoir un sujet de conversation au bureau.

344

Quelles sont les trois grandes crises dans la vie d'un homme ?
La perte de sa femme, celle de son travail, et une éraflure sur la carrosserie de sa voiture.

345

Un amoureux à sa dulcinée :

- Sans toi, ma vie est comme un désert !

La dulcinée à son amoureux :

- Ah, je comprends maintenant pourquoi tu ressembles à un chameau !

346

Sur l'autoroute, un homme pousse un peu sa Mercedes et atteint rapidement les 220 kilomètres par heure. C'est alors qu'il aperçoit une patrouille de la Police fédérale se mettre à sa poursuite. Il se dit alors :

- Pas question que je me laisse rattraper par une BMW !

Il appuie à fond sur l'accélérateur pour atteindre, cette fois, les 250 kilomètres par heure.

Les deux voitures accélèrent ainsi pendant un bon bout de temps : 270, 290, 320 kilomètres par heure, les compteurs montent… jusqu'à ce que la sirène de la voiture de police retentisse. Après réflexion, le type décide de ralentir et de se laisser rattraper. Le policier s'approche, prend les papiers sans dire un mot, les examine, jette un coup d'œil à la voiture et dit :

- Écoutez, je termine ma journée dans 20 minutes et je suis fatigué. Je n'ai pas envie de rédiger une contravention. Alors, si vous me donnez une excuse que je n'ai encore jamais entendue, je vous laisse pour cette fois.

L'homme hésite un moment et lui répond :

- La semaine dernière, un policier est parti avec ma femme…

- Et alors ? rétorque le policier.

- Eh bien, je croyais que c'était lui qui tentait de me la ramener.

- Conduisez prudemment, et bonne fin de journée !

347

Un dimanche matin, tous les habitants d'un petit village se lèvent tôt pour se rendre à l'église. Avant que le service religieux n'ait commencé, les citadins prennent place sur les bancs et parlent de leurs vies, de leurs familles... Soudain, Satan apparaît dans l'église. Chacun crie, s'agite, court dans tous les sens, afin de s'éloigner du mal incarné. Et tout le monde évacue l'église, excepté un vieux monsieur, assis calmement, apparemment inconscient de la présence démoniaque. Satan, perturbé par cette réaction, marche vers l'homme et dit :

- Vous ne savez donc pas qui je suis ?

L'homme répond :

- Naturellement que je le sais !

Satan demande alors :

- Vous n'êtes pas effrayé par ma présence ?

- Oh que non ! répond l'homme.

- Mais pourquoi donc ? questionne Satan, énervé

L'homme répond calmement :

- Oh, vous savez, je suis marié depuis 48 ans.

348

Un gars raconte :

- Quand je suis rentré chez moi, il y avait une grenouille, habillée de façon très sexy, et elle se dandinait dans tous les sens. Alors elle se dirigea dans la chambre et commença à me faire un strip-tease phénoménal. C'est alors qu'elle s'est retrouvée à poils devant moi, et qu'elle m'a tiré sur le lit pour que je lui donne un bisou. Et c'est à ce moment, qu'elle s'est transformée en ma secrétaire. Je te le jure chérie, c'est la vérité !

349

Quelle est la similitude entre les hommes et les spots de pub ?
Il faut toujours mettre en doute ce qu'ils disent.

350

Entre un homme qui a un million sur son compte en banque, et un homme qui est père de six enfants, quel est celui qui est le plus satisfait ?

- C'est l'homme qui est père de six enfants. Celui qui a un million dans son compte en veut toujours plus.

351

Que sont exactement les chats ?

1. Les chats font ce qu'ils veulent, quand ils le veulent.
2. Ils n'écoutent jamais rien.
3. Ils sont imprévisibles.
4. Ils geignent et se plaignent quand ils ne sont pas contents.
5. Quand vous voulez jouer avec eux, ils veulent que vous les laissiez seuls.
6. Quand vous voulez rester seul et tranquille, ils veulent jouer.
7. Ils attendent de vous que vous satisfassiez leur moindre coup de tête.
8. Ils sont lunatiques et changent d'humeur de façon incompréhensible.
9. Ils laissent des poils partout.
10. Ils vous rendent dingues.

Conclusion : Les chats sont de petites femmes en manteaux de fourrure.

352

Je suis resté amoureux de la même femme durant 49 ans. Si mon épouse le savait, alors elle me tuerait !

353

Liste des questions régulièrement posées par les femmes :
- Est-ce que je semble grosse dans cette robe ?
- Est-ce qu'elle est plus jolie que moi ?
- À quoi tu penses ?
- Est-ce que tu m'aimes
- Est-ce qu'elle est dedans, là ?
- Vraiment ?

354

Une femme est en train de cuire des œufs, lorsque son mari rentre à la maison. Il vient dans la cuisine et se met à crier :
- Attention ! Attention ! Plus de beurre ! Retourne-les ! Retourne-les ! Du beurre, plus de beurre ! Tu ne vois pas qu'ils vont brûler ? Mais fais attention ! Retourne-les ! Allez, dépêche-toi ! Retourne-les, maintenant ! Maintenant ! Attention, trop de beurre, ca va gicler ! Attention ! Tu vas te brûler ! Hola, hola, Beaucoup trop de beurre ! Et pas assez de sel, il faut plus de sel !

La femme, complètement excédée, finit par lui hurler :
- Mais enfin, ça ne va pas dans ta tête ? Pourquoi tu cries comme ça ? Qu'est-ce qu'il te prend ?

L'homme se retourne et dit très calmement, en quittant la cuisine :
- Rien, c'est juste pour te montrer ce que ça fait, quand tu es à côté de moi en voiture...

355

Un homme est envoyé par sa femme consulter le médecin parce qu'il n'arrive pas à faire tout le boulot qu'il doit faire dans sa maison : tondre la pelouse, repeindre la cuisine, etc.

Le docteur lui fait un examen complet. Lorsque tout a été passé en revue, le gars dit à son docteur :

- Allez-y, dites-moi la vérité, je suis prêt à tout entendre. Qu'est-ce que j'ai ?

Et le médecin lui répond :

- Eh bien, pour vous parler tout à fait franchement, vous êtes fainéant !
- D'accord, je préfère ça... Vous n'auriez pas un terme médical pour expliquer ça à ma femme ?

356

Quelle est la différence entre un mariage heureux et un conte de fées ?
Le conte de fées, c'est arrivé au moins une fois.

357

Les maris, c'est comme les enfants, ils sont toujours adorables quand ce sont ceux des autres.

358

Ayant installé une balance dans son officine, un pharmacien est interrogé :

- Y a-t-il une attitude commune aux personnes qui viennent se peser chez vous ?
- Toutes veulent avoir un poids minimum. Pour obtenir ce résultat, les femmes ôtent leurs chaussures et les hommes rentrent le ventre.

359

Les mini-jupes sont comme les bilans, ça donne des idées mais ça cache l'essentiel !

360

À la piscine, une dame regarde un homme avec une telle insistance qu'il commence à se sentir gêné et décide de tirer la chose au clair.

- Nous sommes-nous déjà rencontrés ? demande-t-il.
- Non, répondit l'inconnue, mais vous ressemblez terriblement à mon troisième mari.
- Vous avez été mariée trois fois ?
- Non, deux !

361

Un type rentre chez lui plus tôt que prévu et trouve sa femme au lit avec son meilleur copain :

- Gérard... ça alors ! Moi, j'y suis obligé, mais toi ?

362

Monsieur et madame ont tous les deux la cinquantaine. Leur dernier enfant vient de se marier et l'heure est à la nostalgie.

Le soir, dans le lit, madame se fait romantique ; elle retire délicatement les lunettes de son mari, et lui dit, les yeux pleins d'amour :

- Tu sais chéri, sans tes lunettes, tu ressembles toujours au beau jeune homme que j'ai épousé...

Et le mari répond :

- Mais chérie, sans mes lunettes, toi aussi tu as encore l'air pas mal du tout !

363

Faire des cadeaux à une femme, cela peut se résumer en trois stades :

Au début de votre liaison, elle dira :

- Oh chéri, tu es adorable. Il ne fallait pas.

Un peu plus tard, elle dira :

- Enfin, ce n'est pas trop tôt ! Je croyais que cela ne viendrait plus jamais.

Et après quelques années, ce sera :

- Je me demande bien ce que tu as encore fait pour vouloir te faire pardonner

364

Un homme est persuadé qu'on lui a lancé un mauvais sort et depuis quelques années, il fait le tour du monde pour trouver un remède. Un jour, on lui parle d'un sorcier qui habite un petit village au fond de la jungle africaine qui, paraît-il, a des pouvoirs quasi surnaturels.

Après trois jours de pirogue, il arrive au village. Il demande à rencontrer le sorcier. On le fait patienter pendant six jours supplémentaires. Enfin, on le dirige vers le vieil homme.

- Que puis-je faire pour toi ?

- On m'a lancé un sort et je cherche depuis 50 ans à m'en défaire.

- Je peux t'aider.

- Je te donnerai tout ce que tu veux.

- Bon, pour y arriver, tu dois me dire les mots exacts qu'on a utilisés pour te lancer le sort.

- Oh, je m'en souviens très bien... « Maintenant, vous êtes mari et femme. »

365

À part pour le physique, comment différencie-t-on un homme et une femme nus ?

L'homme a encore ses chaussettes.

366

Hommes et femmes au boulot... Quelles différences ?

Il a mis la photo de sa femme et de ses enfants sur son bureau : quel bon père de famille !

Il a un bureau encombré : c'est un bosseur et un fonceur.

Il parle avec des collègues : il est toujours soucieux de la concertation.

Il n'est pas dans son bureau : il est sûrement en conférence.

On ne le trouve pas dans le service : il est allé voir des clients.

Il déjeune avec le patron : il fait son chemin.

Il s'est fait critiquer par le patron : il va se ressaisir.

On lui a joué un sale tour : est-ce qu'il s'est mis en colère ?

Il se marie : ça va le stabiliser.

Il va être père : il aura bien besoin d'une augmentation.

Il part en voyage d'affaires : c'est excellent pour sa carrière.

Il quitte la société, car il a trouvé mieux ailleurs : il sait très bien saisir les occasions.

Elle a mis la photo de son mari et de ses enfants sur son bureau : sa famille passe avant le travail.

Elle a un bureau encombré : elle est sans cervelle et aime la pagaille.

Elle parle avec des collègues : elle est encore en train de jacasser !

Elle n'est pas dans son bureau : elle est sûrement aux toilettes.

On ne la trouve pas dans le service : elle est sortie faire des courses.

Elle déjeune avec le patron : elle couche avec lui.

Elle s'est fait critiquer par le patron : elle ne s'en relèvera pas.

On lui a joué un sale tour : est-ce qu'elle a eu sa crise de larmes ?

Elle se marie : elle va faire un enfant.

Elle va être mère : elle va coûter cher en congé maternité.

Elle part en voyage d'affaires : et qu'en dit son mari ?

Elle quitte la société car elle a trouvé mieux ailleurs : on ne peut pas compter sur les femmes.

367

Un couple est dans une chambre d'hôtel. L'homme demande à sa femme :

- Est-ce que je peux te prendre en photo, nue ? C'est pour un souvenir.

- Pas de problème, mais j'aimerais aussi te prendre en photo, nu !

- Ok, c'est aussi pour un souvenir ?

- Non, c'est pour un agrandissement !

368

Un jeune couple est en train de faire repeindre les murs de sa maison par un artisan.

Le soir, en rentrant de son travail, le mari qui n'a pas fait attention applique ses mains sur la peinture encore fraîche, et laisse des marques bien visibles.

Le lendemain matin, la jeune dame accueille le peintre en ces termes :

- Peut-être voudriez-vous voir où mon mari a posé ses mains hier soir ?

Le peintre soupire et répond :

- Écoutez madame, j'ai une grosse journée de travail devant moi, alors pourquoi est-ce que vous ne me feriez pas un café, tout simplement ?

369

Quel est le bon moyen de garder un mec qui vous intéresse ?

Porter un parfum qui sent la bière.

370

Une femme dit à sa copine :

- Comme Robert ne m'a pas offert de cadeau de fête des mères, je me suis payée une bague... Une bague un peu spéciale, car c'est une bague d'humeur !
- Ah ouais, qu'est-ce que c'est que cette niaiserie, encore ?
- Ben, c'est une bague qui change de couleur en fonction de mon humeur. Si je suis de bonne humeur, alors la bague est bleue. Quand je suis triste, elle devient grise. Et quand je suis en colère, elle fait une marque rouge dans la tronche de Robert.

371

Quel est le point commun entre un homme et une balançoire ?

Au début c'est amusant, ensuite ça donne la nausée.

372

Une femme accompagne son mari chez le médecin.

Après l'examen, le médecin passe à son bureau et, seul avec l'épouse de son patient, il lui dit :

- Votre mari est très malade et si vous ne faites pas les choses suivantes, il va sûrement mourir.

Soyez donc plaisante et assurez-vous qu'il soit de bonne humeur. Chaque matin, donnez-lui un déjeuner santé. Pour le souper, préparez-lui un mets succulent. Ne lui demandez pas de faire des tâches domestiques, car il aura probablement eu une journée difficile. Ne discutez pas de vos problèmes avec lui. Et le plus important... Faites l'amour avec lui plusieurs fois par semaine et assurez-vous de satisfaire tous ses fantasmes.

En route vers la maison, l'homme demande à son épouse ce que le docteur lui a dit.

Elle répond :

- Tu vas mourir !

373

Une femme enceinte attend son premier enfant. Elle va donc chez son obstétricien. Après l'examen, elle lui dit timidement :

- Mon mari veut que je vous demande...

Le docteur n'attend pas pour répondre, tout en plaçant une main rassurante sur son épaule :

- Je sais, je sais, je dois répondre à cette question de nombreuses fois.

Le sexe, c'est très bien jusque tard durant la grossesse.

Elle :

- Non, ce n'est pas de ça dont il est question, répond la femme.

Il veut savoir si je peux encore déblayer l'entrée de la maison !

374

Comment oblige-t-on un homme à faire des abdos ?

En mettant la télécommande entre ses doigts de pieds

375

Comment congèle-t-on la morue ?

En tirant toutes les couvertures vers soi.

376

Un jockey a eu un accident de voiture mortel et sa femme vient l'identifier à la morgue. Le légiste soulève le premier drap, la femme dit :

- Non, ce n'est pas lui.

Il soulève le deuxième drap :

- Non, ce n'est toujours pas lui.

Le médecin soulève le troisième drap :

- Non, ce n'est encore pas lui !

Enfin, il soulève le quatrième drap :

- Oui, c'est lui. Mon pauvre petit jockey de mari, jamais dans les trois premiers !

377

L'épouse d'un député va consulter son gynécologue. Après l'avoir auscultée, son médecin lui demande :

- Rappelez-moi depuis combien de temps vous êtes mariée.

- 10 ans, docteur !

- Je ne comprends pas... vous êtes mariée depuis 10 ans et l'examen gynécologique révèle que vous êtes toujours vierge.

Et l'épouse explique à son médecin :

- Oh docteur, vous savez un député, ça fait des promesses, des promesses, et toujours des promesses !

378

- Chéri... J'ai recousu le trou dans la poche de ton veston. Tu en as de la chance d'avoir une femme aussi prévenante que moi, hein ?

- Oui, c'est vrai, ma chérie. Mais dis-moi, comment as-tu découvert qu'il y avait un trou dans ma poche ?

379

Dans un bar, un gars se confie à ses copains :

- Je suis vraiment un homme heureux. Je n'avais jamais réalisé combien ma femme m'aimait… Jusqu'au jour où j'ai été cloué au lit par une bonne grippe…

- Et alors, qu'est-ce qui s'est passé ? demandent les autres.

- Elle était tellement contente que je sois à la maison, répond le gars, qu'à chaque fois que quelqu'un sonnait à la porte, comme le facteur ou un agent d'Hydro-Québec par exemple, elle criait : « Mon mari est à la maison ! Mon mari est à la maison ! »

380

Pourquoi, quand on dit quelque chose aux hommes, ça rentre par une oreille et ça sort par l'autre ?

Parce que le son ne se propage pas dans le vide.

381

Un gars rentre chez lui très tard après son travail. Il est seul à la maison, car sa femme est sortie avec ses copines pour la soirée. Il se fait à manger, s'apprête à ranger son assiette et ses couverts et il voit alors un mot sur le lave-vaisselle sur lequel il est écrit : « PROPRE MAIS PAS VIDÉ. » Il vide alors le lave-vaisselle. Lorsque l'heure du coucher arrive, il va prendre sa douche, et juste avant d'aller au lit, il retourne au lave-vaisselle, prend le post-it et se le colle sur le front...

382

- J'ai aperçu ta copine l'autre jour, mais elle ne m'a pas vu !
- Je sais, elle me l'a dit.

383

Un mari suisse arrive à l'improviste chez lui. Il trouve sa femme, haletante, nue sur le lit. Furieux, il fonce vers la salle de bains et se trouve nez à nez avec un homme, cachant tant bien que mal ses attributs avec une serviette.

Le mari furieux, s'écrie :

- Immonde, dégueulasse, c'est la serviette pour les mains !

384

Le juge et l'accusé :

- Quelle est la première chose que vous a dite votre femme ce matin-là ?
- Elle m'a dit : «Wow, Robert, qu'est-ce que tu m'as mis cette nuit !»
- Et pourquoi est-ce que ça vous a mis en colère au point de lui taper sur la tête avec votre réveille-matin ?
- Parce que mon prénom, c'est Bernard, monsieur le juge !

385

- Dis, ce manteau de fourrure est très beau, mais n'as-tu pas honte qu'un animal innocent paie pour tes caprices ?
- Et depuis quand défends-tu mon mari ?

386

- Alors, demande une jeune mariée, comment trouves-tu ma cuisine ?
- Elle est exactement comme celle que faisait Maman...
- Oh chéri, je ne m'attendais pas à un tel compliment.
- Mais tu ne m'as pas laissé le temps de terminer… Elle est exactement comme celle que faisait Maman avant que Papa ne quitte définitivement le domicile conjugal.

387

Un homme saoul conduit en zigzaguant le long de la route. Un policier l'arrête et lui demande :

- D'où venez-vous ?

- J'étais au pub, répond l'homme bourré.

- Bien, dit le policier, il semblerait que vous rouliez un peu rapidement...

- Non, non, tout est ok, dit l'homme avec un sourire.

- Savez-vous, dit le policier, tout en se tenant droit devant l'homme et en pointant du doigt le dernier croisement de rues, que votre femme est tombée de la voiture ?

- Oh merci mon Dieu, s'exclama l'homme ivre-mort, pendant quelques minutes, j'ai pensé que j'étais devenu sourd !

388

Quelle est la pire voiture ?

C'est l'homme car :

- Il démarre à la main ;

- Il n'a que deux petits réservoirs ;

- Il n'y a que deux modèles : décapotable ou non ;

- Il se graisse trop vite ;

- En tout temps, il faut le pomper ;

- Bien gonfler, il tient neuf secondes ;

- Son bras de vitesse est quelques fois dur ;

- Il n'y a que des manuels ;

- Il ne fait que de petites distances à de grands intervalles ;

- Il perd son huile quand il fait trop chaud ;

- Il a peu ou pas de contrôle sur les départs ;

- Sa seule qualité : n'importe qui peut le faire partir !

389

Un homme marié depuis plus de 10 ans éprouve le besoin de consulter un avocat spécialisé dans les affaires matrimoniales.

- Lorsque je me suis marié, lui dit-il, j'étais très heureux. Je rentrais à la maison après une bonne journée de travail, et j'étais accueilli par mon petit chien qui tournait autour de moi en aboyant, et par ma femme qui m'apportait mes pantoufles. Mais maintenant, tout a changé. Quand je rentre à la maison, c'est mon chien qui m'apporte mes pantoufles et ma femme qui m'aboie dessus.

- Eh bien, lui répond l'avocat, je ne vois pas de quoi vous vous plaignez. Vous avez toujours le même service, non ?

390

Cher Jean-Pierre,

Je ne dors plus, je ne vis plus depuis que j'ai rompu nos fiançailles. Voudras-tu bien me pardonner et oublier ? Ton absence ronge mon cœur. Je n'étais qu'une petite sotte, personne ne pourra jamais prendre ta place.

Je t'aime.

Amoureusement, ton Isabelle.

P.-S. : Mes félicitations pour tes six bons numéros au tirage du loto d'hier soir !

391

Un homme se promenant sur les quais avec sa femme, rencontre son ami qui, lui, se balade avec son chien…

- Hé, Robert, que fais-tu par ici ? dit le premier.
- Comme tu vois, je promène mon chien, et toi ?
- Ben, je promène ma femme…

392

Le mari rentre chez lui et dit à sa femme :

- Je suis inquiet, tu sais. Cela fait 15 jours qu'un gars m'aborde tous les soirs à la sortie du bureau, au moment où je vais traverser la rue. Et à chaque fois, il me dit : «Cocu, vilain cocu !».
- Mais enfin, lui répond sa femme, tu ne vas tout de même pas attacher de l'importance aux divagations du premier farceur venu. Tu sais bien que je t'aime et cet imbécile n'y peut rien ! Alors le mari s'endort, rassuré. Et le lendemain, quand il sort de son bureau, au moment où il va traverser la rue, le même personnage s'approche de lui et lui glisse à l'oreille :
- Cocu, vilain cocu ! Et rapporteur avec ça...

393

Le fonctionnaire, c'est un super mari : quand il rentre le soir, il n'est pas fatigué... et il a déjà lu le journal.

394

Quelle est la ressemblance entre les hommes et du pop-corn faits au micro-ondes ?
Les deux viennent en 30 secondes.

395

Deux gars discutent devant leur bière dans un bar :

- Si tu savais comme ma femme est difficile à satisfaire !

- Bah t'exagères, je suis sûr que ça n'a pas toujours été le cas...

- Ouais, t'as raison... comment tu le sais ?

- Ben, il a bien fallu qu'elle t'épouse...

396

Une vieille femme prend rendez-vous avec un portraitiste. Elle dit à l'artiste :

- Je voudrais que vous me peigniez avec des boucles d'oreilles en diamants, un collier en diamants, une broche portant un rubis, un bracelet serti d'émeraudes et une montre Cartier.

Le peintre :

- Très bien madame, mais ce serait mieux si vous les ameniez avec vous plutôt que de me laisser les imaginer.

La vieille :

- Mais, je n'ai pas ces bijoux. Je veux les avoir sur mon portrait car je sais que si je meurs, mon mari se remariera aussitôt... Et je suis certaine que cela rendra folle sa nouvelle épouse de voir tous ces bijoux sur moi.

397

Un homme marche dans la rue lorsqu'il entend un cri derrière lui :

- STOP ! ARRÊTEZ-VOUS, SINON VOUS ALLEZ PRENDRE UNE BRIQUE SUR LA TÊTE !

Le gars s'arrête et au même moment, une brique, qui s'était détachée d'un immeuble, lui passe devant le nez. Le gars se retourne mais ne voit personne... Un peu plus tard, alors qu'il veut traverser la rue, il entend encore :

- STOP ! ARRÊTEZ-VOUS, SINON VOUS ALLEZ VOUS FAIRE RENVERSER !

Le gars s'arrête, laisse passer une voiture et, comme il ne voit personne derrière lui, il demande tout haut :

- Mais qui êtes-vous ?

La voix répond :

- Je suis votre ange-gardien.

Et le gars répond :

- Ah ouais ? Et où étais-tu quand je me suis marié, alors ?

398

Quelle différence y a-t-il entre une femme et du gazon ?

Il n'y en a pas, les deux arrivent à la cheville des hommes...

399

Un vieil homme vient de mourir. Le curé ne tarit pas d'éloges : quel bon mari et quel bon chrétien il était, combien il aimait ses enfants, etc. Finalement, la veuve a un doute. Elle se penche vers l'un des fils et lui dit à l'oreille :

- Va jusqu'au cercueil et jette un œil à l'intérieur pour voir si c'est bien ton père qui est là-dedans…

400

J'appelle mon prêtre et lui demande s'il m'est permis d'avoir des relations sexuelles le vendredi saint. Il me répond que bien sûr, il est permis d'avoir des relations mais seulement avec sa propre femme. Cela doit rester une punition et non pas un plaisir !

401

Un prof de maths envoie un fax à son épouse :

Chère épouse,

Tu dois réaliser que tu as maintenant 54 ans et que j'ai certains besoins que tu ne peux plus combler. Outre cet aspect, je suis très heureux de t'avoir comme épouse et j'espère que tu ne seras pas blessée ni offensée d'apprendre que par le temps où tu vas recevoir cette lettre, je serai à l'hôtel Queen Elizabeth avec une jeune assistante enseignante de 18 ans. Je serai à la maison avant minuit.

Ton époux.

En arrivant à l'hôtel, un fax l'attend :

Cher époux,

Tu as aussi 54 ans et lorsque tu recevras cette lettre, je serai à l'hôtel Champlain avec un jeune homme de 18 ans. Puisque tu es prof de maths, tu devrais savoir que 18 entrent plus de fois dans 54 que 54 dans 18. Alors je t'en prie, ne m'attends pas ce soir.

Ton épouse.

402

Un homme se retrouve sur le divan d'un psy. Il se laisse aller et se confie :

- Dans l'un de mes fantasmes préférés, je suis dentiste et mes seules patientes sont des femmes.

Le psy intervient tout de suite :

- Hum, je vois. Ne serait-ce pas pour les faire souffrir ?

Et le gars répond :

- Non, je ne pense pas. C'est plutôt parce que ça doit être reposant d'avoir devant soi, pendant un quart d'heure, une femme qui garde la bouche grande ouverte et à qui vous interdisez de parler.

403

Quand un jeune marié a l'air heureux, on sait pourquoi.

Quand un homme marié depuis 10 ans a l'air heureux, on se demande pourquoi.

404

Quel est le seul morceau de linge qu'il ne faut jamais enlever à une femme ?

Son linge à vaisselle...

405

Une jeune femme dit à son mari, qui vient de rentrer du travail :

- Chéri, j'ai une grande nouvelle pour toi. Très bientôt nous serons trois dans cette maison au lieu de deux !

Le mari est fou de joie et embrasse sa femme qui poursuit :

- Je suis bien contente que tu le prennes comme ça. Maman arrive demain matin !

406

Le péché originel en fait, c'est très simple : c'est une pomme, deux poires et beaucoup de pépins...

407

Trois semaines après le jour de ses noces, Brigitte téléphone au prêtre qui l'a mariée.

- Mon père, gémit-elle, Bernard et moi nous avons eu une scène de ménage épouvantable !
- Calmez-vous, mon enfant, lui répond le curé, ce n'est pas si grave que vous le pensez. Chaque mariage doit avoir sa première dispute !
- Je sais, je sais, lui répond la mariée. Mais qu'est-ce que je dois faire du corps ?

408

Pour elle, il a escaladé la plus haute montagne, traversé le fleuve le plus violent et fait le tour du monde. Elle l'a laissé ; il n'était jamais à la maison !

409

Un homme est incomplet jusqu'à ce qu'il soit marié. Là, il est vraiment fini.

410

Deux amies discutent. L'une dit :

- Tu sais quoi ? Je vais bientôt me marier. Et en plus, il m'a dit que j'étais belle !

L'autre répond :

- Tu ne vas pas te marier avec un gars qui commence à te mentir...

411

Pourquoi les hommes portent-ils la cravate ?

Ça a l'air moins con qu'une laisse.

412

Une femme vient consulter son médecin. Elle lui dit :

- Docteur, j'ai un gros problème. À chaque fois qu'on est au lit avec mon mari et qu'il jouit, il pousse un énorme cri à m'en percer les tympans !

Le médecin lui répond :

- Mais c'est pourtant quelque chose de normal. Ça devrait vous plaire, non ? C'est un témoignage du plaisir que vous lui procurez !

- Peut-être docteur, mais le problème, c'est que ça me réveille.

413

Comment empêcher votre mari de lire vos courriels ?

Renommez le dossier « Courrier » en dossier « Manuel d'instructions ».

414

Deux petits vieux au lit :

- Mon chéri, gratte-moi le menton, comme il y a 20 ans !

- Lequel ?

415

Une jeune fille de la campagne a envoyé une candidature spontanée à madame la baronne de Meillouq pour une place d'employée de maison. Madame la baronne lui dit pour la rassurer :

- Vous verrez mademoiselle, je ne suis pas très difficile...

- Oh, mais je m'en étais douté madame, j'ai aperçu monsieur en entrant !

416

Pourquoi les femmes veulent-elles être à égalité avec les hommes?
Elles manquent vraiment d'ambition...

417

Pourquoi les femmes vivent-elles plus longtemps que les hommes?
Parce que la peinture et le vernis, ça conserve!

418

Une jolie jeune fille se promène seule dans la forêt. En passant près du lac, elle voit un loup se débattre pour ne pas mourir noyer. N'écoutant que son courage, elle se précipite vers le lac. Elle saisit le loup par la queue et le ramène vers le rivage quand soudain, le loup se transforme en prince charmant. Celui-ci la regarde, lui sourit et lui dit tout bas:
- Merci jeune fille. Maintenant tu sais, tu peux me lâcher!

419

Pierre est parti en voyage d'affaires. Après une semaine, il téléphone chez lui. C'est son frère qui décroche.
- Alors, tout va bien à la maison?
- Non, ton chien est mort!
- Tu pourrais être moins direct, et me dire plutôt: «On a dû appeler le vétérinaire...». Enfin, bon. Et ma femme, comment va-t-elle?
- On a dû appeler le docteur...

420

Comment savoir si un homme a eu un orgasme?
Il roule sur le côté et commence à ronfler!

421

Pourquoi les hommes aiment-ils les femmes qui portent des vêtements en cuir ?

Parce qu'elles ont la même odeur que les voitures neuves.

422

Pourquoi Adam était un homme heureux ?

Parce qu'il n'avait pas de belle-mère !

423

Un chauffard arrive en trombe dans un village de campagne mais pas de chance, une brave dame est en train de traverser la route, il fait un écart de volant pour l'éviter et écrase une poule. Très embêté, le pauvre gars va voir le paysan :

- Je suis désolé, j'ai écrasé l'une de vos poules, pour éviter cette brave dame. Je vais vous rembourser...

- Alors vous, les bêtises vous les accumulez : vous écrasez ma meilleure pondeuse pour éviter ma belle-mère...

424

Une fois, deux gars se parlaient :

- Moi, ma femme c'est un ange !

- T'es ben chanceux, la mienne est toujours en vie !

425

- La bonne vient de démissionner. Il paraît que tu l'as insultée ce matin au téléphone !

- Oh merde, je croyais que c'était toi !

426

Une dame surprend son mari en train de parler tout haut pendant qu'il dort.

- Monique, dit-il, Monique !

Elle le secoue, elle le réveille :

- Qui c'est, ça, Monique ? Pourquoi rêves-tu de Monique ?

- Euh, dit le brave homme en reprenant ses esprits, Monique, c'est une jument qui m'a fait gagner aux courses hier...

Et il se rendort. Mais le lendemain, quand il rentre du bureau, sa femme lui dit :

- En passant, il y a ta jument qui a téléphoné trois fois ce matin...

427

Pourquoi les hommes donnent un petit nom à leur sexe ?

Parce qu'ils veulent appeler par son prénom la personne qui guide toutes leurs décisions.

428

- J'ai finalement réussi à ce que mon copain, avec qui je sors depuis six ans, me parle de mariage.

- Ah oui, et qu'est-ce qu'il t'a dit ?

- Qu'elle s'appelle Rose et qu'ils ont eu trois enfants.

429

Un homme entre dans une pharmacie et demande au pharmacien.

- Je voudrais du viagra s'il vous plaît.

- Avez-vous une prescription du médecin ?

- Non, mais j'ai une photo de ma femme...

430

Deux gars discutent dans un bar :

- J'ai réécrit mon testament.

- Ah oui ?

- Je lègue tout à ma femme. Tout. Absolument tout, mais à une condition.

- Laquelle ?

- Qu'elle se remarie !

- Voyons !

- Oui, je veux qu'il y ait au moins un gars sur la terre qui regrette mon départ.

431

Pourquoi la Nasa a-t-elle envoyé une femme dans l'espace ?
Parce que c'est moins lourd qu'un lave-vaisselle !

432

Dans le métro, un jour de grande affluence, un jeune homme serre de trop près une jeune fille.

À un moment, la demoiselle donne une gifle au jeune homme et lui dit :

- Dites donc ! Gardez vos distances !

Le garçon réplique, se tenant la joue :

- Mais, mademoiselle, ce n'est pas ce que vous croyez, c'est mon jour de paie et mon patron m'a payé en espèces et ce que vous avez senti est un rouleau de pièces de monnaie.

La jeune fille s'excuse puis, au bout de quelques minutes, elle remet une gifle au jeune homme et lui dit :

- Dites donc, vous n'allez quand même pas me faire croire que vous avez été augmenté depuis tout à l'heure !

433

Le fiston :

- Maman, Papa vient d'être écrasé par un camion !

La mère :

- Ne me fais pas rire, fiston ! Tu sais bien que j'ai les lèvres gercées !

434

Un homme est invité aux noces d'un ami. Arrivé sur les lieux, il se rend compte que la mariée est hideuse :

- Charles, tu ne vas pas te marier avec cet engin, elle a une jambe plus courte que l'autre, le nez qui tombe dans la bouche, une verrue et un œil de travers ! Charles, quand même !
- Tu sais Richard, tu peux parler plus fort, elle est sourde.

435

C'est l'histoire de ce couple, marié depuis 15 ans. Ils viennent de se mettre au lit. Madame s'apprête à s'endormir alors que monsieur lit un bouquin. Tout à coup, le monsieur laisse la main qui ne tient pas le livre se «balader» jusqu'au sexe de sa femme, et pendant quelques secondes, il se livre à quelques caresses. Puis, il s'arrête. Sa femme se retourne vers lui et lui demande :

- Eh alors, c'est tout ?
- C'est tout, quoi ? répond le mari.
- Eh bien, tu me caresses cinq secondes puis tu t'arrêtes. C'est un peu court, non ?
- Oh, je voulais juste mouiller mes doigts pour tourner les pages.

436

- J'ai eu une peur terrible, raconte une dame à son mari, qui rentre
  du bureau.

Tandis que je suivais un reportage sur les incendies de forêt, le téléviseur
s'est brusquement enflammé.

- Tu as appelé les pompiers ?

- Ça n'a pas été la peine. Ils ont immédiatement enchaîné avec un
  documentaire sur les chutes du Niagara.

437

Un gars arrive au bureau un matin. Il est complètement découragé.
Son chum lui demande :

- Qu'est-ce qui se passe ?

- Ne m'en parle pas ! J'ai fait une gaffe hier au souper avec ma femme.
  Elle m'a sacré dehors. Elle ne me pardonnera jamais.

- Ben voyons, ça ne doit pas être si pire que ça. Qu'est-ce que
  tu as fait ?

- J'ai fait un petit lapsus

- Ce n'est pas si pire que ça. Qu'est-ce que tu lui as dit ?

- On était en train de souper pis, à un moment donné, j'ai voulu lui dire
  «passe-moi le sel» mais j'ai dit «T'as scrappé ma vie !»

438

Un époux malheureux dit au juge :

- Je veux divorcer.

- Et pourquoi donc, monsieur ?

- Ma femme ne cesse de me parler de son ancien époux.

- Alors, parlez-lui de votre future épouse !

439

Le procureur :

- Bon, pour résumer la situation, vous rentrez chez vous, et vous trouvez votre femme au lit avec un autre homme.

L'accusé :

- C'est ça !

Le procureur :

- Et là, vous prenez votre pistolet et vous tuez votre épouse !

L'accusé :

- C'est ça !

Procureur :

- J'ai une question pour vous. Pourquoi avoir tué votre épouse et non son amant ?

L'accusé :

- C'était plus pratique que de tuer un homme à chaque jour !

440

Chérie, tu sais que j'irais au bout du monde pour toi !

- Ah oui, mais serais-tu d'accord pour y rester ?

441

Mon mari ne me fait jamais de reproches sur ma cuisine.

- Vous êtes un parfait cordon bleu ?

- Non, une ceinture noire de judo.

442

Quelle est la différence entre une fée et une sorcière ?

Quelques années de mariage.

443

Comment les femmes mariées notent-elles leur mari au lit ?

- Un bon amant s'endort tout de suite après l'amour ;

- Un amant médiocre s'endort pendant l'amour ;

- Et un mauvais amant s'endort avant de faire l'amour et se réveille 30 minutes plus tard en demandant si sa femme a joui.

444

Un homme, soupçonneux et jaloux, demande à sa femme :

- Combien de fois m'as-tu trompé depuis qu'on est mariés ? Réponds-moi !

Sa femme le regarde, abasourdie et lui lance :

- Tu ferais mieux d'aller prendre une douche bien froide pour te calmer.

Le gars va prendre sa douche. Quand il revient, sa femme est assise au bord du lit, pensive. Son mari lui dit :

- Chérie, je m'excuse.

- Chut ! Dérange-moi pas, je suis en train de compter.

445

Un mari soupçonne sa femme de le tromper !

- Je suis sûr que tu as un amant ! Je suis sûr que tu en as assez de moi !

- Non, justement, répond tranquillement la femme, si j'avais un amant, ce serait parce que je n'en aurais pas assez de toi !

446

C'est l'heure de pointe dans le métro, et un homme se trouve collé contre une superbe créature.

- Vous êtes belle à croquer ! lui dit-il.

- Merci, mais les gens bien élevés ne mangent pas avec les doigts.

447

En apprenant que sa femme réclame le divorce, un homme proteste :
- Comment, lui dit-il, peux-tu prétendre que j'aie causé le moindre trouble dans notre foyer, alors que je n'y suis pratiquement jamais ?

448

- Il y a 10 ans, raconte une dame à une amie, mon mari et moi, après 20 ans de bonheur conjugal, avons décidé de tenter l'expérience de passer des vacances séparées.
- Ça a marché ?
- Et comment ! Je ne l'ai jamais revu depuis !

449

Un type déprimait dans un bar...
Son ami le prend par l'épaule :
- Que se passe-t-il, Émile ? Ça n'a pas l'air d'aller ?
- En effet Gilles, j'avais tout : de l'argent, une belle maison, une voiture de l'année... et tout d'un coup, plus rien !
- Que s'est-il passé ?
- Ma femme a tout découvert !

450

Un type dit à son copain :
- Il y a trois ans, je suis allé en vacances en Grèce, et ma femme est tombée enceinte. Il y a deux ans, je suis allé en vacances en Tunisie, et ma femme est tombée enceinte. L'année dernière, je suis allé aux Baléares, et elle est encore tombée enceinte ! Alors, ça suffit ! Cette année, je ne sais pas où j'irai, mais je l'emmène avec moi !

451

Pendant qu'elle se baladait dans la rue, une belle jeune femme se rend compte qu'elle est suivie depuis 20 minutes par un aussi beau jeune homme. Troublée et après quelques instants de réflexions, elle se retourne et dit au jeune homme :

- Tout de même, monsieur, vous n'allez pas me suivre jusque chez moi, au numéro 21 de la rue Saint-Joseph, au troisième étage, chambre 305, soit la cinquième porte au fond, à droite après l'ascenseur...

452

La police interroge une femme de 80 ans qui a tiré, à coups de revolver, sur son mari :

- Pourquoi l'avez-vous tué ?

- Je n'en pouvais plus de l'entendre, depuis 50 ans que nous étions mariés, me contredire à tout propos.

À ce moment, le mari, gisant par terre dans une mare de sang, ouvre un œil et proteste, dans un dernier souffle :

- Ce n'est pas vrai !

453

Un patron se fâche après l'un de ses employés :

- Vous deviez reprendre le travail il y a 15 jours. Où étiez-vous passé ?

- J'étais... heu... en vacances à la montagne !

- Et c'est ce qui justifie vos 15 jours de retard ?

- En quelque sorte, oui. Parce que, là-bas, il y avait un magnifique écho, avec lequel ma femme entretenait de passionnantes conversations. Mais, chaque soir, ce qui la désolait, c'était l'idée de partir sans qu'elle ait pu avoir le dernier mot !

454

Une femme, très mauvaise cuisinière, prépare le repas. Son mari rentre à la maison et retrouve sa femme en train de pleurer. Il lui demande alors :

- Qu'est-ce qui se passe ?

- C'est le chien, il a mangé mon ragoût !

- Ce n'est pas grave, chérie... On en achètera un autre, chien...

455

Lors d'une réception, le vainqueur du 100 mètres se présente à la maîtresse de maison :

- Donovan Bailey, je suis l'homme le plus rapide du monde.

- Je vois, répond la dame, avec un soupir, que vous n'avez jamais vu mon mari en train de faire l'amour !

456

Docteur, docteur, je ne parviens pas à avoir d'enfant !

- Bon, déshabillez-vous et attendez-là.

- C'est que... docteur, j'aimerais autant qu'il soit de mon mari.

457

Un couple de jeunes mariés se prépare pour la nuit de noces... Le nouveau mari se déshabille et dit :

Recule-toi ma chérie, je ne sais pas de combien ça s'allonge !

458

- Dites docteur, comment se fait-il que ma femme attend des jumeaux ?

- Dans ce cas-là, deux facteurs entrent en jeu...

- Ha ! Le facteur ! Je m'en doutais !

459

Une femme, qui était allée passer quelques jours chez sa mère, rentre à l'improviste et trouve son mari au bain avec la bonne.

- Sale cochon, hurle-t-elle!

- Cochon, répond le mari, je veux bien. Mais sale, sûrement pas, depuis deux heures que nous sommes dans cette baignoire.

460

Une dame revient à minuit et trouve la baby-sitter avec la jupe déchirée, le corsage en lambeaux, etc.

- Mon fils a-t-il été insupportable?

- Non madame, il s'est endormi à huit heures et demie. Par contre, votre mari est rentré beaucoup plus tôt que prévu!

461

Un homme dit à son confrère:

- Comment va ta fille?

- Elle a des problèmes avec son mari.

- Elle vient à peine de se marier. Quel est son problème?

- Son mari est tellement fier de ses propres prouesses sexuelles qu'il veut maintenant renégocier son contrat de mariage.

462

Ce couple ne s'entend absolument pas, et il n'y a que des disputes dans le ménage.

- Mais enfin, demande l'un de leurs amis, pourquoi ne divorcent-ils pas?

Et un autre ami de répondre:

- Parce que chacun sait que ça ferait le bonheur de l'autre.

463

Dans l'autobus, un type assis en face d'une jeune femme la regarde avec insistance. Excédée, elle lui dit :

- Monsieur, je vous en prie ! Arrêtez de me dévisager comme ça !

- Je ne dévisage pas, fait l'autre, j'envisage...

464

- Cesse de lire en mangeant ! reproche une femme à son époux. Tu ne vois même pas ce que tu avales.

- C'est bien pour ça que je lis.

465

Un couple marche et rencontre soudainement un puits. Le mari se penche au-dessus, fait un souhait et jette une pièce. La femme décide aussi de faire un souhait. Mais elle se penche trop, et tombe dans le puits et se noie. Le mari est abasourdi pendant quelques secondes, puis il sourit et se dit :

- Ça fonctionne vraiment !

466

Deux vieilles copines sont en train de bavarder, de tout et de rien. Alors, à un certain moment, l'une d'entre elles dit à l'autre :

- Je suis bien désespérée, car depuis quelques années, mon mari développe le syndrome de l'oignon et ça semble irréversible.

- Le syndrome de l'oignon, mais qu'est-ce que c'est ? s'enquit l'autre avec empressement.

- Bah, c'est simple, tout comme l'oignon, son ventre grossit et sa queue sèche.

467

Un couple vient de partir en voyage.

- Chéri, fais demi-tour, je crois que j'ai oublié de débrancher le fer à repasser. La maison pourrait flamber.
- Ne t'en fais surtout pas, car j'ai oublié de fermer la douche !

468

- Ben dis donc, mon chéri, dit la jeune épouse à son cadre de mari, tu as l'air épuisé. Tu as dû avoir une journée difficile, non ?
- M'en parle pas, répond le mari en se servant un whisky, aujourd'hui, les ordinateurs étaient en panne et j'ai dû réfléchir tout seul.

469

Un couple est en voiture sur un chemin de montagne.

La femme dit à son mari :

- Sois prudent. À chaque virage, j'ai peur de tomber.

Le mari répond :

- Fais comme moi, ferme les yeux !

470

Deux copains s'interrogent sur les moyens de savoir si on est un bon amant ou non.

Le premier dit :

- Si on est vraiment bon, la femme doit s'endormir d'épuisement après l'amour.

Le second s'écrie :

- Je dois être un super coup alors ! Ma femme s'endort toujours en plein milieu.

471

Une nuit, le mari est réveillé par des cris stridents provenant de la chambre de sa femme. Il se précipite et la trouve tremblante :

- Un homme s'est introduit ici et m'a fait l'amour à deux reprises !

- À deux reprises ! Mais pourquoi n'as-tu pas crié tout de suite ?

- Parce que je croyais que c'était toi ! Ce n'est que lorsqu'il a voulu recommencer que j'ai compris !

472

En larmes, il est suivi par une file d'autres hommes. Un gars s'approche de lui et commence à parler avec lui :

- Qu'est-ce qui s'est passé ?

- Dans le premier corbillard, il y a ma femme, qui a été tuée par mon chien.

- Et dans le second corbillard ?

- Il y a ma belle-mère, qui a été tuée par mon chien.

- Ah oui, et il est à vendre votre chien ?

- Ben oui, mais il faut faire la file derrière les autres...

473

Un couple est dans le salon. La femme prend la parole :

- Chéri, je voudrais partir en vacances.

- Hum, et où ça ?

- Dans un endroit chaud où je ne suis jamais allée.

- Ok, si je récapitule, tu voudrais aller dans un endroit où tu n'es jamais allée et où il fait chaud ?

- OUI !

- Alors, va dans la cuisine !

474

Une jeune mariée pleure à chaudes larmes :

- Je me suis tuée à la tâche pour te faire un souper gastronomique et qu'est-ce que j'ai en retour ? Absolument rien... RIEN !

Et le jeune marié de répliquer :

- T'es chanceuse, toi. Moi, j'ai eu une indigestion !

475

Le mari sort de la salle de bains, complètement nu et très en forme.

Voyant venir son mari, la femme lui dit :

- Pas ce soir chéri, j'ai très mal à la tête...

- Ça tombe bien, j'ai saupoudré mon sexe avec de l'aspirine. Tu le veux en cachet ou en suppositoire ?

476

- Cette fois, c'est décidé, dit une femme à son coureur de mari, ma valise est faite. J'appelle un taxi et je retourne chez ma mère. Alors, tu n'as rien à me dire ?

- Heu... si...

- Ah, quand même ! Alors ?

- Où as-tu rangé cette bonne bouteille d'un Bordeaux millésimé que nous avions achetée à la foire aux vins de la SAQ, en prévoyant de la boire pour fêter un évènement exceptionnel ?

477

Pourquoi les hommes donnent des fleurs à leurs femmes lorsqu'ils se marient ?

C'est parce qu'une botte de foin, c'est trop lourd...

478

Un homme sort de chez lui comme à tous les matins pour aller chercher son journal. Or, quelle n'est pas sa surprise de voir son voisin en train de mettre des condoms sur ses piquets de clôtures. Intrigué, l'homme lui demande ce qu'il fait :

- Ne m'en parle pas, c'est ma femme qui m'a dit quelle ne voulait pas d'enfants dans la cour.

479

Un vieillard dit à sa femme :

- Hé Germaine, je vais à la mairie pour dire que je prends ma retraite !
- Et comment vas-tu faire, vu que t'as même pas de certificat de naissance ?
- Ben je vais ouvrir ma chemise et ils verront mes poils blancs !
- Ouais ben alors, tu pourrais aussi leur ouvrir ton pantalon et ils te donneront une pension d'invalidité !

480

Un mari vient voir sa femme qui a accouché une heure plus tôt :

Sa femme lui demande :

- Chéri, tu as vu le bébé ?

Le mari répond :

- Oui, mais je t'aime quand même !

481

De nos jours, 80 % des femmes sont contre le mariage.

Elles ont enfin compris que pour 200 grammes de saucisse, il était inutile d'acheter le cochon tout entier.

133

482

Une femme enceinte de huit mois, se sent déprimée en regardant son image dans le miroir. Elle demande à son mari, si elle a au moins cette espèce de rayonnement qu'on attribue aux femmes enceintes ? Il la regarde et lui dit :

- Oui, il y a un peu de ça... Je dirais que tu as l'air d'une ampoule.

483

Le diamant est le meilleur ami de la femme, le chien est le meilleur ami de l'homme.

On se demande quel sexe est le plus futé...

484

Une patiente, à son médecin :

- Docteur, cela fait cinq minutes que vous m'avez demandé de tirer la langue et vous ne la regardez même pas !
- C'était juste pour être tranquille pendant que je rédige votre ordonnance !

485

Après 20 ans de mariage, un homme et une femme ne peuvent plus se supporter et c'est à qui fera le plus de remarques désagréables. Un jour où ils sont chez des amis possédant une ferme, ils aperçoivent de gros cochons qui se roulent dans la boue en grognant.

Aussitôt, la femme demande :

- Des membres de ta famille ?

Et son mari de répondre :

- Oui, mes beaux-parents.

486

Les femmes voudraient que les hommes :

1. Parlent plus souvent ;

2. Soient plus émotifs ;

3. Se dépensent moins physiquement ;

4. Soient plus romantiques ;

5. Soient plus sensuels et moins génitaux ;

6. S'occupent plus des autres ;

7. Soient plus spontanés ;

8. S'occupent plus de leurs familles ;

9. Sortent plus souvent ;

10. Montrent plus de compassion ;

11. Soient moins pressés ;

487

Les hommes voudraient que les femmes :

1. Parlent moins souvent ;

2. Soient moins émotives ;

3. Se dépensent plus physiquement ;

4. Soient moins romantiques ;

5. Fassent l'amour plus souvent ;

6. S'occupent moins des autres ;

7. Soient plus rationnelles ;

8. S'occupent plus de leur carrière ;

9. Restent plus souvent à la maison ;

10. Soient moins sensibles ;

11. Soient plus ponctuelles ;

488

Moshe apprend à conduire à son épouse Sarah. La voiture amorce une descente. Soudain, les freins lâchent.

- Mon Dieu, dit Sarah, je ne peux plus m'arrêter! Que dois-je faire?
- Garde ton sang-froid, chérie, et essaie au moins de défoncer quelque chose qui soit bon marché!

489

C'est l'histoire de ce couple très dépensier qui n'arrive jamais à économiser pour prendre des vacances en Inde, ce dont ils rêvent tous les deux depuis longtemps. Un jour, le gars a une idée : à chaque fois que nous ferons l'amour, nous mettrons un billet de côté dans la tirelire. Un an plus tard, ils décident de casser la tirelire. Le mari compte les billets et dit :

- C'est bizarre, à chaque fois qu'on a fait l'amour, j'ai mis des billets de 20 dollars dans la tirelire et ici, je trouve des billets de 50 dollars et d'autres de 100 dollars...

Et la femme répond :

- Parce que tu penses que tout le monde est aussi chiche que toi peut-être?

490

L'histoire se passe dans un petit village. Un homme rentre de sa promenade, tout furieux, et dit à sa femme :

- Paraît qu'Alphonse, ce jeune homme revenu de l'aventure il y a peu, se vante d'avoir couché avec toutes les femmes du village sauf une.

Sa femme réfléchit un peu et lui répond posément :

- C'est certainement la voisine!

491

Deux amis discutent :

- À la maison, déclare le premier, c'est moi qui commande. Ainsi hier, j'ai dit à ma femme : « Chérie, donne-moi de l'eau chaude ! »
- Et elle t'en a donné tout de suite ?
- Oui, tout de suite, car moi, pour rien au monde, je ne ferais la vaisselle à l'eau froide !

492

Quand Dieu a créé la femme, il a commis deux erreurs. Lesquelles ?
D'abord il a créé la femme, ensuite il lui a donné la parole...

493

Un petit garçon demande à son père :

- Papa, combien coûte un mariage ?

Le père répond :

- Je ne sais pas, fils, je paie encore.

494

Un homme rentre chez lui au beau milieu de l'après-midi et trouve sa femme, toute nue, sur le lit conjugal. Il lui demande ce qu'elle fait, couchée à cette heure-là :

- J'ai une migraine !
- Et pourquoi es-tu toute nue ?
- Parce que je n'ai plus rien à me mettre !

L'époux, furieux, se précipite vers l'armoire et hurle en jetant un à un les habits sur le lit :

- Plus rien à te mettre ? Et ça ? Et ça ? Et ça... pardon monsieur, et ça ?

495

Comment une femme peut-elle se rendre compte qu'elle n'a pas de poitrine ?

Elle regarde ses pieds et le seul relief qu'elle doit voir, ce sont ses genoux.

496

Au cours d'une croisière, une tempête fait rage. Sur le pont du bateau, un marin s'approche d'une dame et lui dit :

- Vous ne devriez pas rester là, madame, une vague pourrait vous emporter.

Un homme qui se trouvait à côté se retourne et dit au marin :

- Dites donc, occupez-vous de vos affaires ! C'est ma belle-mère, pas la vôtre !

497

Un chevalier part en croisade. Au préalable, il met une ceinture de chasteté à sa jeune épouse, puis il convoque l'écuyer de la dame en disant :

- Je te confie la clé de la ceinture de chasteté. Conserve-la en permanence sur toi et ne la donne à personne. Si dans trois ans, jour pour jour, je ne suis toujours pas de retour, c'est que j'aurais péri sous les murs de Jérusalem. Alors, et alors seulement, tu ouvriras la serrure. Et il s'en va... Trois heures plus tard, sur la route, un cavalier le rejoint au grand galop dans un nuage de poussière.

C'est l'écuyer, qui lui dit d'une voix haletante :

- Ah, monsieur le comte, c'est une chance que j'aie réussi à vous rattraper ! Vous ne m'avez pas donné la bonne clé...

498

Un homme se trouvait dans le coma depuis un certain temps. Son épouse était à son chevet jour et nuit. Un jour, l'homme se réveilla. Il fit signe à son épouse de s'approcher et lui chuchota :

- Durant tous les malheurs que j'ai subis, tu as toujours été à mes côtés.

- Oui, mon amour.

- Lorsque j'ai été licencié, tu étais là pour moi.

- Oui, mon amour.

- Lorsque mon entreprise a fait faillite, tu m'as soutenu.

- Oui, mon amour.

- Lorsque nous avons perdu la maison, tu es restée près de moi.

- Oui, mon amour.

- Et lorsque j'ai eu des problèmes de santé, tu étais encore à mes côtés.

- Oui, mon amour.

- Tu sais quoi ?

Les yeux de la femme s'emplirent de larmes d'émotion.

- Quoi donc, mon chéri ? chuchota-t-elle.

- Je crois que tu me portes la poisse...

499

Une jeune fille danse avec un jeune homme très entreprenant. Celui-ci l'enlace de plus en plus fort. Tout d'un coup, la jeune fille s'exclame :

- Mais calmez-vous !

Le jeune homme :

- Je n'y peux rien, c'est l'appel de l'amour !

La jeune fille :

- Je ne sais pas si c'est la pelle, mais le manche, je le sens bien !

500

Ça se passe au cimetière, au moment de l'inhumation d'un célèbre cardiologue.De nombreux confrères sont présents. Le cercueil est placé devant l'entrée du caveau ornée d'un énorme cœur de deux mètres de haut, fait avec des fleurs. Après le sermon et les adieux, le gigantesque cœur s'entrouvre, le cercueil est placé à l'intérieur et le cœur se referme. Tout le monde est silencieux, triste et se recueille. Soudain, l'une des personnes présentes éclate de rire. Son voisin le regarde d'un air sévère :

- Chut ! Mais qu'est-ce qui vous prend de rire comme ça ?
- J'imagine mon enterrement, je suis gynécologue !

501

Deux copines se rencontrent :
- Tu as tellement maigri !
- Mon mari me trompe, je souffre...
- Alors quitte-le !
- Je ne peux pas. Je dois perdre encore trois kilos.

502

Dans un couple, il faut partager les tâches ménagères.
Les hommes font les taches et les femmes le ménage !

503

Une fille et un gars dans un lit :
Elle : tu fais l'amour comme un lapin.
Lui : je ne vois pas comment tu peux juger un gars en cinq secondes !

504

Pourquoi les mecs n'ont pas de règles?

À quoi ça leur servirait, ils sont en permanence de mauvaise humeur.

505

C'est un mec qui dit:

- Je me suis marié deux fois, deux échecs! La première s'est barrée, la seconde est restée...

506

Un homme voit passer une jolie demoiselle et l'aborde ainsi:

- Oh, quelle belle créature! Je n'ai encore jamais vu une telle merveille sur cette terre.

À sa grande surprise, la demoiselle lui répond:

- Je ne pourrais pas en dire autant pour vous.

Et l'homme lui réplique alors:

- Mais rien ne vous empêche de mentir comme je viens de le faire.

507

Savez-vous pourquoi les paysans ne divorcent jamais?

Ils se sont habitués à vivre avec des vaches, alors...

508

Un jour de violent orage, une femme autoritaire apostrophe son mari:

- Cela fait trois fois que je te demande d'aller acheter du pain!

- Mais, chérie... Il fait un temps à ne pas mettre un chien dehors!

- Et alors? Est-ce que je t'ai demandé d'emmener le chien?

509

Pourquoi les hommes s'asseyent-ils avec les jambes ouvertes ?

Parce que sinon, ils écraseraient leur cerveau.

510

Un p'tit vieux se berce dans le salon.

Il voit un orignal dehors et il le dit à sa vieille, qui est à la salle de bains :

Et sa femme regarde dehors, là il y a un orignal...

- Ce n'est pas un orignal, épais, c'est une vache.

- Je ne t'ai pas dit de regarder dans le miroir, je t'ai dit de regarder par la fenêtre.

511

Un monsieur regarde son acte de mariage silencieusement et de façon très attentive, depuis deux heures. Son épouse, qui est assise près de lui, anxieuse, lui demande :

- Chéri, mon amour, que regardes-tu ainsi ?

- Je cherche la date d'expiration.

512

Le jour de ton mariage, n'oublie pas de dire à ta femme que, si elle veut conserver la brillance de son alliance, elle doit impérativement la laver dans de l'eau de vaisselle au moins trois fois par jours !

513

Quelle est la meilleure façon pour une femme rappeler à son mari la date de leur anniversaire de mariage ?

C'est de se marier le jour de son anniversaire à lui...

514

Comment les hommes trient-ils leurs habits ?

«Sales» d'un côté, et «sales, mais mettables» de l'autre.

515

- Monsieur le commissaire, annonce un mari éperdu, je viens vous déclarer la disparition de ma femme. Elle était sortie pour promener le chien et voilà une semaine qu'elle n'est pas rentrée à la maison.
- Pouvez-vous me donner son signalement ?
- Euh… elle est rousse. Non, blonde. Pas très grande. Pas vraiment petite non plus. Et elle a les yeux verts. Non, bleus. Non, verts, verts… Enfin, je crois.
- Bien, dit le commissaire en soupirant. Et le chien, il état de quelle race ?
- Briard, 65 centimètres au garrot, poil fauve clair, truffe noire, yeux marrons foncés, légère cicatrice sous le menton, numéro de tatouage VRZ 985…

516

Un vieux couple se dispute…

Elle : J'en ai marre que tu me reproches tout le temps d'être trop bavarde !

Lui : Écoute chérie, tu es quand même la seule femme que je connaisse qui ait attrapé un coup de soleil sur la langue cet été…

517

Quelle est la différence entre un homme et un perroquet ?

On peut arriver à faire dire des choses gentilles à un perroquet.

518

Il faudrait un peu savoir ce que tu veux, dit un homme à sa femme. Depuis près d'un an, tu me cries après, matin et soir, de démonter les guirlandes de Noël. Et aujourd'hui, où je me décide à le faire, tu viens me dire que ce n'est plus la peine, parce que Noël, c'est la semaine prochaine.

519

Dis Maman, il y a quoi dans ton ventre ?

- Ta petite sœur, chéri !

- Dis Maman, tu l'aimes ma petite sœur ?

- Je l'aime beaucoup, pourquoi ?

- Si tu l'aimes, pourquoi tu l'as mangé ?

520

Une femme téléphone à son mari et lui dit :

- J'ai passé deux semaines dans une clinique d'amaigrissement et j'ai fondu de moitié !

Il lui répond :

- Restes-y encore deux semaines.

521

Un jeune garçon demande à sa mère :

- Est-ce que les dindes ont des seins ?

- Non, répond sa mère.

Le garçon :

- Ben pourtant, Papa a dit à la femme de ménage qu'elle avait de plus beaux seins que sa dinde.

522

Une jeune fille se plaint à son amie :

- À tous nos rendez-vous, il m'offre des fleurs fanées.

- Eh bien, essaye d'arriver à l'heure...

523

Quelle est la différence entre les hommes et les cochons ?

Les cochons ne se transforment pas en homme quand ils ont bu !

524

Dans un bal, un monsieur dit à une fille.

- Mademoiselle, comme les danses me semblent courtes avec vous.

- Bien sûr, répond la fille, le chef d'orchestre est mon fiancé.

525

Un couple à la dérive va consulter un conseiller matrimonial.

Le sexologue dit :

- Alors, résumez-moi votre problème. Je vous écoute.

À ce moment-là, la femme part dans une longue énumération de tous les petits problèmes de leur mariage, pendant que le gars reste dans son coin, sans broncher. Comme la femme enfile des kilomètres de phrases sans presque reprendre sa respiration, le conseiller se lève, attrape la femme par les épaules et lui glisse un mot doux dans l'oreille, avant de la reposer sur sa chaise, interdite et silencieuse.

Puis le sexologue dit au mari :

- Voilà ce qu'il faut faire. Deux fois par semaine, et vous aurez la paix !

Le mari lui répond :

- C'est d'accord, je pourrai vous l'amener le mardi et le jeudi...

526

Une dame va renouveler son passeport.

Le fonctionnaire lui demande :

- Combien d'enfants avez vous ?

- 10.

- Et leurs prénoms ?

- Bernard, Bernard, Bernard, Bernard, Bernard, Bernard, Bernard, Bernard, Bernard et Bernard.

- Ils s'appellent tous Bernard ? Et, comment vous faites pour les appeler quand ils jouent tous dehors, par exemple ?

- Très simple, je crie Bernard et ils rentrent tous.

- Et si vous voulez qu'ils passent à table ?

- Pareil. Je crie Bernard et tous se mettent à table.

- Mais, si vous voulez parler particulièrement avec l'un d'entre eux comment faites-vous ?

- Ah ! Dans ce cas là, je l'appelle par son nom de famille.

527

- Tu connais la différence entre une plaque de chocolat suisse et une carotte ?

- Non.

- Tu comprends tes problèmes de poids maintenant !

528

Deux femmes discutent :

- J'ai perdu mon chien... dit la première.

- Faites passer une annonce ! lui conseille l'autre.

- Cela ne sert à rien, il ne sait pas lire.

529

Quelle est la différence entre un point G et un bar ?

Neuf gars sur 10 sont capables de trouver un bar...

530

Un gars rentre chez son fleuriste :

- Depuis six mois, je vous achète, deux fois par semaine, un bouquet de roses pour l'offrir à ma fiancée. Aujourd'hui, je vous fais mes adieux : vous ne me reverrez plus.

- Vous avez rompu ?

- Pas du tout. Je l'épouse la semaine prochaine...

531

Pourquoi les femmes ont-elle leur cerveau divisé en quatre parties ?

Il y a quatre plaques sur les cuisinières électriques...

532

Pourquoi les femmes parlent-elles moins en février ?

Parce qu'il n'y a que 28 jours !

533

Pourquoi y a t-il toujours une fenêtre dans la cuisine ?

Parce que les femmes ont aussi le droit d'avoir leur point de vue.

534

Un retraité attend sa femme partie à l'institut de beauté. Après trois heures, elle revient et il lui demande :

- C'était fermé ?

535

Un vieil homme de 80 ans rentre dans une pharmacie.

- Bonjour, je voudrais du viagra.

Le pharmacien lui demande :

- Combien en voulez-vous ?

- Ho, seulement la moitié d'un !

- Vu votre grand âge, il vous en faudra plus d'un pour faire plaisir à votre dame !

- Mais vous vous trompez, jeune homme. C'est juste que, lorsque je vais faire pipi, je veux bander suffisamment pour ne pas arroser mes chaussons !

536

Une femme romantique dit à son homme :

- J'aime tes yeux mais je préfère les miens, car sans eux, je ne pourrais pas voir les tiens.

L'homme répond :

- Et moi, j'aime ton sexe mais je préfère le mien, car sans lui, je ne pourrais pas profiter du tien !

537

Quelle est la différence entre une balle de golf et le point G ?
Un homme pourrait passer deux heures à chercher sa balle de golf !

538

Un gars rentre dans un Pet Shop. Il dit à un vendeur :

- Je voudrais un chien pour ma femme.

- Désolé, on n'accepte pas les échanges, lui répond le vendeur

539

C'est Marie, la mère de Jésus, qui commence à se tracasser pour son fils. Il a déjà 29 ans, passe son temps dans le désert et n'a encore jamais couché avec une fille. Elle organise alors une rencontre avec une dénommée Salomé qui tournait autour de Jésus. Tous deux se retrouvent dans une pièce. Un quart d'heure se passe en silence, quand tout à coup, on entend à travers la porte un : «AH!»

Salomé sort de la pièce en courant et en hurlant comme une damnée. Marie va rejoindre Jésus en courant et lui demande:

- Mais que s'est-il passé mon fils, j'ai vu Salomé s'enfuir comme si elle avait le diable à ses trousses!

- Je ne comprends vraiment pas, dit Jésus. On était en train de discuter tranquillement et Salomé a mis sa main sur mon genou.

- Alors?

- Alors, j'ai fait pareil. Puis, elle a glissé sa main le long de ma cuisse. Alors, j'ai fait pareil.

- Et ensuite?

- Ensuite, elle a mis sa main sur mon sexe. Alors, j'ai fait pareil mais... mais il n'y avait rien! La pauvre petite, elle était amputée... Alors, j'ai guéri sa blessure.

540

Deux hommes attendent fébrilement dans la salle d'attente d'une maternité. La porte s'ouvre et une infirmière s'adresse, souriante, à l'un des deux hommes.

- Compliments, monsieur! Vous êtes un heureux papa...

L'autre type se lève, furieux:

- Mais madame, je suis pourtant arrivé avant lui!

541

Un homme arrive chez son chum et lui dit :

- Tu ne sais pas quoi ?

- Non.

- Eh bien aujourd'hui, je suis tombé d'une voiture, puis j'ai atterri sur un cheval, mais le pire, c'est la soucoupe volante que je n'avais pas vu...

- Tu te fous de moi ?

- Non, c'est exactement ce que mon patron m'as dit, lui aussi !

542

Deux gars sont en train de discuter et l'un d'entre eux dit :

- Si la fin du monde arrivait dans 15 minutes, qu'est-ce que tu ferais ?

- Moi ? Je baiserai tout ce qui bouge ! Et toi ?

- Moi, je ne bougerai pas...

543

Le serveur demande à la jeune femme :

- Je coupe votre pizza en quatre ou en six morceaux ?

Celle-ci répond :

- En quatre... Je n'ai pas assez faim pour six morceaux.

544

Une superbe jeune femme promène ses deux chiens dans un bois, quand elle croise un coureur des bois :

- Bonjour madame.

- Bonjour, tu veux caresser mes Saint-bernards ?

- Oh oui madame, mais je ne m'appelle pas Bernard !

545

Le garagiste demande à une femme :

- Comment avez-vous crevé ce pneu ?

- Oh, bêtement, en roulant sur une bouteille d'alcool !

- Vous ne l'aviez pas vue ?

- Non, mon mari l'avait dans sa poche.

546

Comment se fait-il que, quand votre épouse apprend qu'elle est enceinte, toutes ses amies femmes lui caressent le ventre en lui disant : « Toutes mes félicitations ! »

Mais, qu'il n'y en a pas une seule pour nous caresser les couilles en déclarant : « Beau travail ! »

547

Un homme a été cambriolé. Le lendemain, le commissariat le prévient qu'on a arrêté le voleur et le convoque.

L'homme demande au policier :

- Puis-je parler au voleur ?

- Pour lui dire quoi ?

- Écoutez, monsieur le commissaire, il a pénétré chez moi à deux heures du matin sans réveiller ma femme. S'il m'explique comment il s'y est pris, je retire ma plainte !

548

Un type va voir le médecin parce qu'il a toujours mal à l'œil droit quand il boit du café. Le médecin l'examine et finalement, lui demande :

- Avez-vous pensé à retirer la cuiller quand vous buvez votre café ?

549

Une femme, en train de faire ses courses, achète les produits suivants :
Un savon, une brosse à dents, un tube de dentifrice, une baguette, un litre de lait, une pomme, une banane, une orange, une pêche, une tomate, une laitue, un choux, une barre au müesli, et une tarte.
Le caissier la regarde, sourit, et lui dit :

- Seule, hein ?

La nana sourit timidement et répond, émue :

- Oui... comment avez vous deviné ?

Le gars répond :

- Parce que vous êtes moche.

550

Un gars entre dans un bar, et demande :

- Quelqu'un aurait-il perdu un gros rouleau d'argent, avec un élastique enroulé autour ? Un client s'approche et dit :

- C'est moi, c'est à moi !

- Tenez, j'ai retrouvé l'élastique...

551

Quel est la différence entre le beau-père et le babouin ?
Le beau-père a juste un peu moins de cheveux sur la tête !

552

Une dame très bavarde est en consultation.
Excédé, le médecin lui dit :

- Veuillez tirer la langue, madame. Maintenant, restez comme cela jusqu'à ce que j'aie terminé mon examen !

553

Un vieux dragueur, chauve sur le dessus de la tête, rencontre une jeunette qui lui fait observer qu'il a perdu des cheveux sur le haut du crâne.

Il lui répond :

- Mais c'est un signe d'intelligence !

Elle lui répond :

- Oui, mais vous êtes con sur les bords !

554

Un vieux milliardaire téléphone à une conseillère du cœur :

- J'ai 62 ans et je suis follement amoureux d'une superbe jeune fille de 19 ans. Pensez-vous que j'ai plus de chance de l'amener à m'épouser si je lui dis que j'ai juste 50 ans ?

La conseillère lui répond :

- À mon avis, vous feriez mieux de lui dire que vous approchez des 80 ans !

555

Quand les enfants savent-ils qu'il y a des invités à la maison ?

Quand ils entendent leur mère rire aux plaisanteries de leur père !

556

- Papa, comment cela s'appelle là, entre les jambes de Maman ?

- Cela s'appelle le Paradis, fiston. Et chez toi, Papa, comment ça s'appelle ?

- C'est la clé du Paradis.

- Dis Papa, tu devrais faire gaffe, le voisin du dessus à un passe-partout !

557

Un pilote est en train d'atterrir sur la piste et la tour de contrôle lui demande :

- Bonjour, donnez-moi votre position et votre hauteur.

Et le pilote répond à la tour de contrôle :

- Je suis assis et je mesure 1,80 mètre.

558

Un professeur donne un cours à des étudiants en première année de médecine sur les contractions musculaires involontaires. Se rendant compte que le sujet n'est pas particulièrement attrayant, il décide d'alléger le ton et demande à une jeune étudiante au premier rang :

- Savez-vous ce que fait votre trou du cul quand vous avez un orgasme ?

Et la jeune fille répond :

- Il est probablement au bistrot du coin avec ses copains.

559

Quelle est la différence entre le cerveau d'un homme et une olive ?
La couleur.

560

Une dame, très enrhumée et très radine, rencontre par hasard son médecin dans la rue et essaye aussitôt d'obtenir une consultation :

- Bonjour docteur, qu'est-ce que vous faites quand vous êtes enrhumé ?

Il lui répond :

- Je fais comme vous, je tousse, j'éternue et je fais des économies !

- Mais pourquoi des économies, docteur ?

- Parce que, comme vous, je ne paye pas de consultation !

561

Un mari rentre chez lui plus tôt que de coutume et trouve sa femme très occupée sur le canapé avec le facteur. Quelques jours plus tard, il rencontre son meilleur ami et lui raconte ses malheurs.

- Qu'est-ce que tu as fait ?
- J'ai claqué la porte un bon coup en partant, pour bien montrer que je n'étais pas content !
- Oui, mais encore ?
- Eh bien, j'ai vendu le canapé !

562

Un type rentre de voyage.

- Alors chérie, tu as été fidèle ?
- Oui, bien sûr, pas de problème.

Le type lui saute dessus et ils font l'amour comme des fous.

Le voisin tape contre la paroi et crie :

- Alors, c'est tous les soirs maintenant ?

563

Jean-Louis s'élance vers sa maman en criant :

- Maman, Maman, viens voir, Philippe embrasse Nicole !
- Ce n'est pas grave, Jean-Louis. Ton grand frère et Nicole vont se marier. Ils ont donc le droit de s'embrasser.

L'enfant reste un moment stupéfait puis demande :

- Mais alors, peut-être que Papa va épouser la bonne ?

564

Deux collègues discutent. Tout à coup, l'un d'eux demande à l'autre :

- À votre idée, et sans vous compter, combien croyez-vous qu'il y ait de cocus dans la ville ?

L'autre répond, furieux :

- Comment, sans me compter ?

- Excusez-moi, reprend le premier, gêné. Je n'ai pas voulu vous froisser. Alors, en vous comptant, combien croyez-vous qu'il y en ait ?

565

Le téléphone sonne au moment où un homme d'affaires s'apprête à faire l'amour avec sa secrétaire.

- Non madame, répond celle-ci, votre mari n'est pas encore rentré. Je vous le passe !

566

Un jeune couple vient de s'installer dans un petit studio, mais, comme ils sont fauchés, ils n'ont pas de meubles.

Ils invitent un copain à dîner, qui s'étonne :

- Dis-moi, Jacques, comment fais-tu pour manger, il n'y a pas de table !

- Ma femme se met à genoux et je dîne sur son dos.

- Et comment fais-tu pour dormir, il n'y a pas de lit.

- Oh, c'est simple… je retourne la table.

567

Pourquoi les hommes n'ont-ils rien à craindre de la maladie de la vache folle ?

Parce qu'elle n'attaque que le cerveau.

568

Un père trouve un jour un vibromasseur dans la chambre de sa fille.

Il demande ce que c'est et la fille lui répond :

- C'est un truc qui remplace un homme !

Le lendemain, elle rentre et trouve son père bourré, buvant du whisky dans deux verres. Comme elle lui demande ce qu'il fait, il répond :

- Tu vois, je trinque avec mon gendre !

569

Une concierge est enceinte. Son médecin lui demande qui est le père. Elle répond :

- Vous croyez que j'ai le temps de me retourner quand je nettoie l'escalier ?

570

Un type rentre chez lui complètement saoul. Il met son pyjama, entre dans le lit conjugal et dit à sa femme :

- J'ai l'impression qu'on est nombreux dans ce lit !

Pour être sûr, il se lève et va compter les pieds au bout du lit.

Il compte deux paires et se recouche en disant :

- Ok, on est bien deux !

571

Pourquoi est-ce que les hommes ont un trou dans leur pénis ?

Ainsi, l'oxygène peut se rendre à leur cerveau !

572

Quelle est la différence entre un mec et un bébé ?

Le bébé au moins on peut le laisser seul avec la baby-sitter.

573

À quoi reconnaît-on qu'un homme qui ment ?
Ses lèvres bougent.

574

Pourquoi les femmes prennent la pilule ?
Pour savoir quel jour on est.

575

Pourquoi les hommes veulent-ils épouser une vierge ?
Ils ne supportent pas la critique.

576

Qu'ont en commun les hommes avec la cuvette des toilettes, les anniversaires et le clitoris ?
Ils les ratent tous les trois.

577

Pourquoi y a-t-il des hommes ?
Les vibromasseurs ne tondent pas la pelouse.

578

Je pense que tu confonds un peu les choses. Voici pourquoi nous n'avons pas fait si souvent l'amour :
Cinq fois, tu es rentré saoul et tu as essayé de fourrer le chien.
36 fois, tu n'es pas rentré à la maison.
21 fois, tu n'es pas venu.
33 fois, tu es venu trop vite.

19 fois, tu as débandé avant de la mettre dedans.

10 fois, tu avais des crampes dans les orteils.

38 fois, tu as travaillé trop tard.

29 fois, tu devais te lever tôt pour jouer au golf.

4 fois, tu t'es battu et on t'a frappé dans les gosses.

14 fois, tu avais un rhume et ton nez coulait.

13 fois, tu t'es brûlé la langue avec du café chaud.

98 fois, tu étais trop occupé à regarder les sports à la télé.

9 fois, tu es venu en ton pyjama en feuilletant un livre érotique.

Pour les fois où on était ensemble, la raison pour laquelle je restais étendue sans bouger est parce que tu avais manqué le trou et que tu fourrais les draps.

La fois où tu m'as sentie bouger, c'était parce que tu avais pété et que je cherchais de l'air...

579

Une grosse femme dit à son petit mari :

- Demain, je te dispense de la vaisselle, mais à une condition…

- Laquelle ?

- Que tu nous emmènes au restaurant !

580

Une blonde se promène en auto. À la radio, on annonce un message important :

- Attention ! Sur la rue Sainte-Catherine, une femme circule avec son auto en sens contraire du trafic !

Et la blonde se dit :

- Ils sont nuls, il n'y en a pas qu'une, ils sont plus d'une centaine.

581

Un homme, c'est un peu comme une tempête de neige.

Tu ne sais pas quand il arrive, tu ne sais pas combien de centimètres tu auras, et tu ne sais pas combien de temps ça durera.

582

- Écoutez docteur, je vais être franc, avant de vous consulter, je suis allé voir Mathieu, le guérisseur...
- Et quelle idiotie vous a racontée ce charlatan ?
- Heu... Il m'a conseillé de venir vous voir...

583

Quand j'étais plus jeune, je détestais aller aux mariages parce que mes vieilles tantes et mes grands-parents venaient près de moi, me donnaient une grande claque amicale dans le dos en lançant un joyeux : « T'es le prochain, gamin ! »

Ils ont arrêté cette stupide blague quand j'ai commencé à la leur faire aux enterrements !

584

Un type, complètement bourré, va au confessionnal.

Le curé lui demande :

- Je peux faire quelque chose pour vous ?
- Ouais, dis donc, y a du papier de ton côté ?

585

Qu'est-ce qu'un homme prévoyant ?

Celui qui achète deux packs de bière au lieu d'un.

586

Quelle est la différence entre un homme et la lettre Q ?

Aucune, ce sont tous les deux de gros zéros avec une petite queue.

587

Deux vieilles dames se rencontrent après s'être perdues de vue pendant des années. Ayant épuisé les questions de santé, elles abordent le sujet de leurs maris respectifs.

La première dit :

- Albert est mort la semaine dernière. Il est allé au potager nous chercher des légumes pour le dîner, il a eu une attaque et on l'a retrouvé le nez dans les choux.

- Mon Dieu, quel malheur, fait l'autre, et comment t'en es-tu sortie ?

- Ben, qu'est-ce que tu veux ? J'ai pas eu le choix, j'ai dû m'ouvrir une boîte de p'tits pois !

588

Deux femmes sortent d'une soirée bien arrosée, et elles ont envie de faire des gros besoins. En passant devant un cimetière, elles décident d'y entrer pour se soulager. La première décide d'enlever sa culotte pour s'essuyer avec. La deuxième, qui a des dessous chics, choisit d'utiliser une couronne trouvée sur une tombe...

Le lendemain, le mari de la première appelle le mari de la seconde :

- On devrait surveiller nos femmes, la mienne est rentrée sans culotte hier.

L'autre répond :

- Tu as raison, la mienne avait une carte entre les fesses, sur laquelle il était écrit : « DE LA PART DE TOUS LES GARS DE LA CASERNE, ON NE T'OUBLIERA JAMAIS ! »

589

C'est un couple de vieux mariés qui fêtent leurs 50 ans de mariage...

L'homme dit à sa femme :

- Après autant de temps passé ensemble, tu peux m'avouer sue tu m'as trompé...

Sa femme hésitante lui dit :

- Tu te souviens que le prêt pour la maison nous avait été refusé et que, deux jours après, le banquier a sonné pour dire qu'il était accepté ?
- Bien... Alors, tu ne m'as trompé qu'une seule fois ?
- Eh bien, non... la fois où tu as failli perdre ton job... la semaine d'après, ton chef t'a dit qu'il te gardait et tu n'as plus jamais été inquiété par la suite...
- Bah, deux fois et en plus pour de bonnes causes, je te pardonne... C'est tout ?
- Eh bien, non... te souviens-tu lorsque tu t'es mis sur les listes lectorales ?
- Oui, et alors ?
- Ben, il te manquait 2 500 voix...

590

Deux hommes s'arrêtent sur le bord de la route pour uriner dans un ruisseau. Pour engager la conversation, le premier dit :

- Le fond de l'air est frais !

Le second, un grand noir, répond :

- Le fond de l'eau aussi !

591

Une femme énervée attend son mari avec un rouleau à tapisser.

Lorsque le mari rentre, complètement ivre, la femme l'engueule :

- Tu sais quelle heure il est ?

- Non

Elle lui donne un coup de rouleau sur la tête en lui disant :

- Tiens, il est une heure.

Puis, elle lui donne un deuxième coup de rouleau sur la tête en disant :

- Tiens, il est deux heures

Puis, elle lui donne un troisième coup de rouleau sur la tête en disant :

- Tiens, il est trois heures du matin et vas te coucher, bon à rien !

Le mari se dit, dans sa tête :

- Heureusement que je ne suis pas rentré à minuit !

592

Le médecin examine une vieille femme qui agonise.

Il se tourne vers le papy :

- Ça fait longtemps qu'elle râle comme ça ?

- Euh oui, depuis qu'on est mariés.

593

Un homme d'affaires est assis dans un bar de luxe, quand il voit entrer une superbe brune. Celle-ci s'approche de lui et lui murmure à l'oreille :

- Pour 1 000 dollars, je fais tout ce que tu veux, à condition que tu puisses le dire en trois mots maximum.

Le gars réfléchit quelques instants, sort 1 000 dollars de son porte-feuille et dit :

- Repeins ma maison.

594

Un couple part en vacances. Sur une petite route de campagne, la femme dit à son copain :

- Oh, chéri, arrête-toi, vite, j'ai envie de faire caca.

La voiture s'arrête, et elle va dans les buissons.

Au bout de cinq minutes, elle appelle son petit ami :

- Chéri, viens vite voir, j'ai accouché ! Vite, vite, je vois ses petits bras, ses petites jambes, il bouge, viens vite !

L'autre arrive, regarde entre les jambes de sa femme et dit :

- T'es bête, tu ne vois pas que t'as chié sur une grenouille ?

595

Papy est dans la salle de bains. Mamy, qui est déjà couchée, lui crie :

- Mais que fais-tu donc à traîner ?

- Je lave mes dents !

- Sois gentil, tant que tu y es, lave aussi les miennes !

596

Les cinq préceptes de la sagesse chinoise destinés aux femmes :

1. Il est important de trouver un homme qui t'aide dans les tâches ménagères et les travaux pénibles, et qui ait un bon emploi.

2. Il est important de trouver un homme d'esprit, ayant beaucoup d'humour, qui te fasse rire.

3. Il est important que tu trouves un homme sur qui tu puisses compter, en qui tu aies confiance et qui ne te mente jamais.

4. Il est important de trouver un homme qui soit bon au lit, et qui aime te faire l'amour.

5. Il est important que ces quatre hommes ne se connaissent pas.

597

Un type appelle chez lui.

- Allô ? demande la bonne.

- Bonjour Maria, passez-moi madame.

- Je suis désolé, mais madame est au lit.

- Eh bien, réveillez-la !

- Ah, mais elle ne dort pas, elle est avec un autre homme...

- Quoi ? Écoutez, prenez le pistolet dans mon bureau, et tuez-les tous les deux ! Je vous payerai une belle maison avec une piscine.

La bonne hésite, puis accepte.

- Voilà. Je fais quoi maintenant ?

- Jetez les corps dans la piscine !

- Quelle piscine ? Il n'y a pas de piscine ici !

- Ah bon, je ne suis pas au 450-429-1001 ?

598

Un mari téléphone chez lui pour annoncer que son voyage d'affaires est annulé :

- Germaine, vous direz à madame que je viens coucher ce soir !

- C'est de la part de qui, monsieur ?

599

Un gars, qui va se marier, se confesse quelques heures avant la cérémonie.

Lorsque le curé a terminé, il lui demande :

- Quelle pénitence m'ordonnez-vous, mon père ?

- Aucune, mon fils, vous allez vous marier, c'est déjà bien suffisant comme ça !

600

Le mari demande à sa femme :

- Chérie, avec combien d'hommes as-tu dormi ?

La femme répond toute orgueilleuse :

- Seulement avec toi chéri, car avec les autres, je restais éveillée !

601

Comment savez-vous quand une femme est sur le point de dire quelque chose de sensé ?

Quand elle commence sa phrase par : « Un homme m'a dit un jour... »

602

Les deux jeunes mariés sont en pleine lune de miel. Ils sont allongés sur le lit et le mari, très amoureux, demande :

- Chérie, si j'étais, disons, défiguré, est-ce que tu m'aimerais toujours ?

- Bien sûr mon chéri, je t'aimerai toujours, lui répond sa jeune épouse, calmement, en lui prenant la main.

- Et si je devenais impuissant, et que je ne pouvais plus te faire l'amour ? continue-t-il avec inquiétude.

- Ne dis donc pas de bêtise, mon amour, tu sais bien que je t'aimerai toujours, insiste-t-elle.

- Bien, et si je perdais mon poste de vice-président dans l'usine de Papa, et que mon père me déshéritait, est-ce que tu m'aimerais toujours alors ?

La jeune femme regarde avec tendresse le visage inquiet de son mari et lui répond :

- Je t'aimerais toujours mon bébé en sucre et tu ne peux pas savoir combien tu me manquerais.

603

Une jeune fille, qui vient de se présenter à l'examen du permis de conduire, rentre chez elle.

Son père la questionne :

- Alors, comment ça c'est passé ?

- Je n'en sais rien.

- Comment ça ? L'examinateur ne t'a rien dit ?

- Mais non, rien... On l'a transporté directement à l'hôpital !

604

La femme est, selon la Bible, la dernière chose que Dieu a faite. Il a dû la faire le samedi soir. On sent la fatigue de la semaine.

605

C'est un gars qui fait une oraison funèbre lors de l'enterrement d'une personne assez connue. Il dit entre autres choses :

- Et sa disparition laissera un vide douloureux.

Le lendemain, un autre gars, qui était présent, demande à l'orateur :

- Comment un vide peut-il être douloureux ?

Et l'orateur répond :

- Vous n'avez jamais eu mal à la tête ?

606

À la piscine, un nageur se fait enguirlander parce qu'il a fait pipi dans l'eau.

- Mais enfin, proteste-t-il, vous exagérez, je ne suis pas le seul à faire ça !

- Si monsieur, du haut du plongeoir, vous êtes le seul !

607

Comment appelle-t-on un homme qui a perdu son intelligence ?

Un veuf.

608

Qu'est-ce qu'un homme et un chien ont en commun ?

Ils pensent juste à jouer avec leur queue.

609

Le juge dit au prévenu :

- Le 25 juillet dernier, vous avez tué votre femme avec un marteau... Le reconnaissez-vous ?

- Oui, je l'avoue et j'ai fait croire qu'elle était partie en vacances !

Un homme dans la salle se lève et ne peut retenir ses cris :

- Maudit, sans dessin !

- Silence ou je...

Le juge n'a pas besoin de terminer sa phrase, l'homme s'est déjà calmé. Le juge reprend donc l'interrogatoire :

- Le 9 septembre, vous avez tué votre belle-mère avec un marteau. Reconnaissez-vous les faits ?

- Oui, je l'avoue... avec un marteau.

À ce moment-là, la même scène se reproduit, avec le même homme :

- Maudit, sans dessin !

Le juge ordonne son expulsion mais, par pure curiosité, il lui demande :

- Puis-je savoir qui vous êtes pour vous exciter de la sorte ?

- Oui, monsieur le juge... je suis son voisin de pallier et, chaque fois que j'ai demandé à cet épais de me prêter un marteau, il a toujours prétendu ne pas en avoir !

610

Pourquoi certains hommes donnent-ils un prénom à leur pénis ?

Ils veulent être plus intimes avec celui qui prend toutes les décisions pour eux.

611

Pourquoi les célibataires aiment-ils les femmes intelligentes ?

Parce que les contraires s'attirent.

612

Quel est la différence entre un homme et une église ?

L'église est consacrée et l'homme est un sacré con.

613

Deux types se rencontrent :

- J'ai appris que ta belle-mère n'avait plus que deux mois à vivre ?

- Ne m'en parle pas... elle a déjà une semaine de retard !

614

Quelle est la différence entre un milliardaire et un clochard ?

Le milliardaire, il change de Ferrari tous les jours et le clochard, il change de porche tous les jours.

615

- Pourquoi Dieu a-t-il crée les blondes ?

- Parce que les moutons ne savaient pas chercher les bières dans le frigo.

- Et pourquoi a-t-il crée les brunes, alors ?

- Parce qu'il s'est aperçu que les blondes non plus n'y arrivaient pas.

616

C'est l'histoire d'un mec qui crève le pneu de sa voiture devant le mur d'un asile. Sur le mur, un fou est accoudé et le regarde. Le mec démonte sa roue, troublé par le regard fixe du fou, qui le regarde toujours. Il prend sa roue de secours et, toujours troublé, fait tombé les écrous de la roue dans la bouche d'égout, qui était justement tout à côté. Alors, le mec est très embêté parce qu'il ne peut plus remonter sa roue.

Il se demande ce qu'il va faire quand tout à coup, le fou lui dit :

- Vous n'avez qu'à prendre un écrou sur chaque roue. Avec trois écrous par roue, vous pourrez facilement aller à un garage.

Le mec, là, est épaté :

- Ben ça alors ! C'est vachement intelligent, ce que vous me dites là. Mais, qu'est-ce que vous faites dans cet asile.

- Ben je suis fou, pas con.

617

Les 10 règles d'or de la vie de couple :

1. Ton jardin secret, tu préserveras.

2. Les tâches ménagères, tu partageras.

3. La belle famille, tu apprécieras.

4. La patience, tu apprendras.

5. Des compromis, souvent tu feras.

6. La routine, tu éviteras.

7. Le désir, toujours tu entretiendras.

8. Quelques fois les engueulades, tu connaîtras.

9. Mais toujours au lit, tu te réconcilieras.

10. Et toujours «je t'aime», tu lui diras.

618

Un gars se rend chez son copain pour récupérer des outils. La femme du copain lui ouvre la porte; elle est toute triste.

Le gars dit:

- Bonjour Martine. Est-ce que Bernard est là?

Martine lui répond en sanglotant:

- Bernard a eu une terrible attaque ce matin, pendant que nous prenions le petit-déjeuner... Il est mort devant moi.

Le copain reste pensif quelques secondes, puis il dit:

- Et il ne t'a pas parlé de ma boîte à outils?

619

Pourquoi les hommes se lavent-ils les cheveux dans l'évier?

Parce que c'est là qu'on lave les légumes.

620

Quel est le point commun entre les hommes qui fréquentent les bars pour célibataires?

Ils sont tous mariés.

621

Trois potes discutent de leurs voitures:

Le premier dit:

- Eh bien moi, dans ma nouvelle BMW, j'ai l'air conditionné.

Le deuxième, lui, se vante aussi:

- Moi, dans mon Astra OPC, j'ai l'air bag.

Et enfin le troisième:

- Eh bien moi, dans ma Lada, j'ai l'air... CON.

622

Une ravissante automobiliste est arrêtée à un feu rouge. Le feu passe au vert, puis à l'orange, au rouge, au vert, à l'orange, au rouge, puis encore au vert...

Elle ne bouge pas.

Un agent s'approche :

- Alors, nous n'avons aucune couleur qui vous plaise ?

623

Deux gars discutent :

- J'ai un problème avec ma femme : elle est obsédée par le sexe !

- Et alors ?

- Pas le mien.

624

Qu'aurait fait la femme sans l'homme ?

Elle aurait élevé un autre animal.

625

Un homme va voir son docteur pour lui demander conseil :

- Doc, ma femme ne veut plus faire l'amour depuis plus de sept mois !

- Je vois, demandez-lui de venir me voir.

La femme rencontre le docteur et ce dernier lui demande pourquoi elle ne veut plus faire l'amour avec son mari. La femme :

- Depuis sept mois, je prends le taxi chaque matin pour aller au travail. Je ne fais pas beaucoup d'argent, alors le chauffeur de taxi me demande toujours : «Et vous allez me payer aujourd'hui, ou quoi ? Et comme je n'ai pas assez d'argent, je lui donne toujours le «ou quoi», si vous voyez ce que je veux dire... Ce petit jeu me fait arriver en retard au travail, alors mon patron me demande : «Voulez-vous que je coupe votre salaire, ou quoi?» Et oui, je donne encore un «ou quoi»... Lorsque je reviens du travail, je prends encore un taxi et le chauffeur me demande : «Allez-vous me payer cette fois-ci, ou quoi?» Et encore un «ou quoi»! Vous voyez, quand j'arrive à la maison, je suis tellement épuisée que je ne veux plus de mon mari...

Le docteur :

- Je comprends. Et maintenant, allons-nous le dire à votre mari, ou quoi?

626

Une dame descend de sa voiture en colère :

- Vous êtes en tort car je viens de la droite et j'ai la priorité.

- Peut être, répond l'autre automobiliste, mais vous êtes dans mon garage.

627

Pourquoi est-ce que les hommes ont reçu un cerveau plus gros que celui des chiens?

Pour qu'ils ne se branlent pas sur les jambes des femmes en public.

628

Un gars dit à un autre :

- J'ai fait couper la queue de mon chien la semaine dernière, car ma belle-mère vient samedi.

- Ah oui? Je ne vois pas le rapport.

- Tu vois, je ne veux surtout pas qu'elle pense que quelqu'un est content de la voir.

629

Ce sont deux copains qui ne se sont pas vus depuis plus de 10 ans :

- Alors Pierrot, quoi de neuf ?

- Oh dis donc, quel malheur, si tu savais... Je suis cocu !

- Je t'ai demandé, « Quoi de neuf ? »

630

Un mec demande à son pote :

- Tu préfères avoir la maladie d'Alzheimer ou celle de Parkinson ?

Son pote lui répond :

- Je ne sais pas, tu préfères quoi, toi ?

Et il lui dit :

- Moi je préfère Parkinson, parce qu'il vaut mieux renverser une goutte de rhum que d'oublier de le boire...

631

Combien d'hommes faut-il pour changer un rouleau de papier de toilette ?
Pour changer quoi ?

632

Un homme soupçonneux entre dans un bistrot et commande une bière. Il va aux toilettes et, pour qu'on ne touche pas à son verre, il met dessus un petit papier avec écrit : « j'ai craché dedans », puis s'en va. Au retour, il peut lire sur son papier : « Moi aussi ! »

633

Pourquoi 90% des coiffeurs pour femmes sont des hommes ?
Parce que le génie frise souvent le ridicule.

634

Quel est le point commun entre les hommes et les tondeuses à gazon ?
Ils sont difficiles à démarrer, émettent des odeurs désagréables et
tombent souvent en panne.

635

Un type amène sa femme au restaurant.

Le serveur arrive, remarque le type et lui dit :

- Ah, bienvenue monsieur Robert ! Ce sera comme d'habitude,
  je suppose ?

La femme demande à son mari :

- Robert ? Tu es déjà venu ici ?

- Mais non, voyons chérie, pourquoi serais-je venu ici ?

Sur la petite scène, à coté du piano, la chanteuse prend le microphone
et annonce :

- Et maintenant, pour notre ami Robert à la table 7, sa chanson
  préférée : You're my love.

- Robert ? Tu es déjà venu ici, ne me ment pas !

- Mais non, chérie, je te le jure ! Ils doivent me confondre avec quelqu'un
  d'autre ! Et le repas continue sur le même ton.

À la fin du repas, le maître d'hôtel vient les voir :

- Alors mon cher ami, je vous appelle un taxi ?

- Robert ?

- Mais chérie, je te jure !

Le taxi finit par arriver, ils montent dedans, et s'en vont.

Alors, le chauffeur se retourne et dit à Robert :

- Eh bah mon vieux, on en a ramené des putes ensemble, mais une
  mocheté comme ça, c'est une première !

636

Un type croise un de ses copains dans la rue.

- Tiens, Albert, ça va ?

- Ben, figure-toi que ma belle-mère est morte la semaine dernière...

- Oh, merde ! Qu'est-ce qu'elle avait ?

- Bof, trois fois rien : une table, un buffet, etc.

637

Pourquoi Dieu a-t-il créé l'homme avant la femme ?

Parce qu'on exerce toujours les expériences sur les singes !

638

Comment les mecs font-ils pour prendre des bains à bulles pour pas cher ?

En mangeant des haricots le midi.

639

Pourquoi les hommes ressemblent-ils aux brosses à dents ?

Sans le manche, ils ne servent rigoureusement à rien.

640

Un gosse voit, dans la rue, un chien en train de saillir une chienne et demande à son père ce qu'ils font.

Le père embarrassé explique que la chienne, qui se trouve dessous, ne veut pas rentrer à la niche, et que le chien est en train de la pousser pour la ramener.

Le gosse :

- C'est comme Maman hier, heureusement qu'elle se tenait bien au lavabo, sinon le facteur l'emmenait à la poste.

641

Un médecin et sa femme ont une grosse discussion qui tourne au vinaigre, au déjeuner. Le mari se lève enragé et dit :

- Tu n'es même pas bonne au lit !

Puis, il sort de la maison en coup de vent.

Après quelque temps, il réalise qu'il y est allé trop fort et l'appelle pour s'excuser.

Elle répond après plusieurs sonneries et l'homme, irrité, lui dit :

- Pourquoi as-tu tant tardé à répondre ?

Elle dit :

- J'étais au lit.

- Que fais-tu au lit si tôt ?

- Je voulais une deuxième opinion.

642

Une femme rentre dans une armurerie pour acheter un fusil. Elle dit au marchand :

- C'est pour mon mari.

Le marchand :

- Il vous a dit quel calibre il souhaitait ?

La femme :

- Vous rigolez ? Il ne sait même pas que c'est pour lui tirer dessus !

643

- Es-tu coiffeur demande Julien à son grand-père ?

- Non, pourquoi ?

- Parce que Maman a dit que tu frisais la cinquantaine, et Papa, que tu allais nous raser tout l'après-midi.

644

Une jeune femme, qui cherche à se marier, vient s'inscrire dans une agence matrimoniale. Elle précise à l'employée :

- Je suis bien ennuyée... Comme vous le voyez, je suis borgne. Ce sera sans doute difficile de trouver un parti...

- Mais non, ne vous inquiétez pas !

L'employée tape la fiche descriptive : «Jeune femme, deux merveilleux yeux bleus, dont l'un en moins.»

645

Quelle est la signification de M.M.S ?

À 20 ans : Matin, Midi et Soir.

À 40 ans : Mardi, Mercredi, Samedi.

À 70 ans : Mes Meilleurs Souvenirs.

646

Comment savoir si un homme est heureux ?

On s'en fout.

647

Quelle est la différence entre un clitoris et un bistrot ?

Neuf mecs sur 10 sont capables de trouver un bistrot.

648

Un jeune couple dîne romantiquement et l'homme dit :

- Tu sais ce que j'aime dans tes yeux ?

- Non, c'est quoi, mon n'amour ?

- Mon reflet.

649

Un père s'impatiente dans une maternité. Il fantasme sur son futur fils, qu'il voit déjà médecin ou grand ingénieur... Finalement, l'infirmière vient à lui avec un beau bébé dans les bras. Il le caresse de la main et s'écrie soudain :

- C'est un garçon, je l'avais deviné !
- Non, dit l'infirmière, c'est mon petit doigt que vous tenez !

650

Comment appelle-t-on un homme intelligent, sensible et beau ?
Un homosexuel.

651

Trois mères discutent :

- Mon fils, il est tellement riche que, s'il le voulait, il pourrait acheter une bijouterie, dit la première.
- Le mien, il est tellement riche que, s'il le voulait, il pourrait acheter toutes les bijouteries d'Anvers, dit la seconde.
- Qui vous dit que mon fils veut vendre, demande la troisième ?

652

Où trouve-t-on des livres sur les droits de la femme ?
Au rayon science-fiction !

653

Une jeune femme demande à une autre :
- Alors, toujours amoureuse de ton parachutiste ?
- Non, je l'ai laissé tomber.

654

Un homme vient de se faire renverser par une auto. Le conducteur sort de l'auto et dit :

- Vous êtes bien chanceux, on est juste devant le bureau d'un médecin
- Oui, sauf que le médecin c'est moi !

655

Une jeune femme arrive chez le médecin :

- Voilà, docteur, à chaque fois que je suis seule dans une pièce avec un homme, j'éprouve une irrésistible envie de faire l'amour avec lui ... Est-ce que cela porte un nom ?
- Mais bien sûr mademoiselle, répond le docteur en dégrafant sa ceinture, ça s'appelle une excellente nouvelle !

656

Une grosse femme va visiter son médecin :

- Docteur, je voudrais bien perdre du poids.
- D'accord, vous allez commencer par me dire vos habitudes alimentaires.
- Oh, je ne mange pas beaucoup, je ne bois jamais d'alcool et je fais de l'exercice tous les jours.
- Avez-vous autre chose à ajouter ?
- Oui, je mens souvent.

657

Un monsieur rencontre un ami, qui lui dit :

- Où vas-tu avec ce tonneau sur l'épaule ?
- Je vais chez le docteur, il m'avait dit de revenir dans un mois avec mes urines.

658

Concours de tir à l'arc.

À 50 mètres du stand de tir, un mec, debout contre un arbre, une pomme sur la tête, sert de cible. Le premier tireur se positionne. Il vise, tire et tchac! En plein dans la pomme! Le gars regarde la foule:

- I am Guillaume Tell.

Le deuxième se pointe. Il vise, tire et tchac! En plein dans la pomme! Le gars regarde la foule:

- I am Robin Hood.

Le troisième se place. Il vise, tire et tchac! En plein entre les deux yeux du pauvre gars! Il regarde la foule:

- I am sorry!

659

Deux garçons se baignent. Le premier dit à l'autre:

- J'ai une bonne et une mauvaise nouvelles.

- Commence par la bonne, répond l'autre garçon.

- La bonne nouvelle, c'est que, selon le thermomètre, l'eau vient de se réchauffer de deux degrés.

- Et quelle est la mauvaise nouvelle?

- Ce n'est pas à cause du soleil...

660

Dans la rue, un homme demande à madame Tremblay:

- Vous n'auriez pas vu un policier?

- Non.

- Alors, donnez-moi votre sac à main.

661

L'ouvreuse du cinéma met en garde le couple qui est venu à la séance avec son bébé :

- Si l'enfant pleure, vous devrez quitter la salle. Bien sûr, on vous remboursera.

Une demi-heure après le début du film, le mari se penche vers sa femme :

- Qu'en penses-tu ?
- Ce film est archinul !
- T'as raison, secoue donc le petit.

662

Un monsieur sort d'un hypermarché et voit un clodo en train de brouter de l'herbe. Aussi ce monsieur, désireux de faire une bonne action, lui propose de venir manger chez lui. Heureux, le vagabond lui demande s'il peut venir avec sa femme et ses cinq enfants. C'est alors que le monsieur lui répond :

- Mais, il n'y a pas de problème, j'ai au moins un mètre carré d'herbe chez moi !

663

- Vous avez l'air fatigué, remarque une dame, en croisant l'une de ses voisines.
- En effet, mon mari est souffrant et je dois le surveiller jour et nuit.
- Mais vous n'avez pas pris une infirmière ?
- Si, c'est une fille superbe. C'est bien pour cela que je dois le surveiller.

664

Sur une plage, un monsieur aveugle est en train de souffler dans une poupée gonflable. Un père de famille indigné s'approche de lui :

- Dites donc, vous ne pourriez pas faire ça ailleurs... Ici, il y a des enfants !

Le type, confus, s'excuse :

- Ah zut ! Alors, tout l'hiver, j'ai fait ça avec mon Zodiac !

665

Voici quelques statistiques sur le corps humain :

La nourriture met sept secondes pour aller de la bouche à l'estomac.

Un cheveu humain peut supporter un poids de trois kilogrammes.

Le pénis d'un homme représente en moyenne trois fois la longueur de son pouce.

L'os de la hanche est plus solide que le ciment.

Le cœur d'une femme bat plus vite que celui d'un homme.

Il y a environ mille milliards de bactéries sur chacun des pieds.

Les femmes clignent des yeux deux fois plus souvent que les hommes.

La peau d'un humain pèse deux fois plus que son cerveau.

Le corps utilise 300 muscles pour se tenir debout en équilibre.

Les femmes ont déjà fini de lire ce message.

Les hommes sont encore en train de mesurer leurs pouces...

666

Un citadin demande à sa femme :

- Chérie, les cerises, on les cueille avec la queue ?

- Non, pour toi ce sera plus facile avec les mains...

667

Une fille dit à son copain :

- Tu te maries avec moi parce que j'ai hérité de l'appartement de ma grand-mère, n'est-ce pas ?

Le copain répond :

- Faux, je me fous complètement de savoir de qui tu l'as hérité.

668

Une femme d'âge mûr a une crise cardiaque, et se retrouve à l'hôpital. Sur la table d'opération, proche de la mort, elle vit une expérience. Elle voit Dieu et lui demande :

- Mon heure est-elle arrivée ?

Dieu lui répond :

- Non, il te reste 43 ans, deux mois et huit jours.

À son réveil, elle décide de demeurer à l'hôpital, de se faire remonter le visage, de se faire faire une liposuccion, de se faire injecter du collagène dans les lèvres, de se faire refaire les seins et tout le reste.

Comme elle allait encore vivre longtemps, cela en valait la peine. Après sa dernière opération, elle sort de l'hôpital, traverse la rue, et se fait frapper par un camion. Arrivée au ciel devant Dieu, elle lui demande furieuse :

- C'est quoi ce bordel ? Il me semble que je devais vivre encore 40 ans et plus ! Pourquoi ne m'avez-vous pas fait éviter la trajectoire de ce camion ?

Et Dieu répond :

- Tabarnak, je ne t'avais pas reconnue !

669

Ce n'est pas parce qu'on a soif d'amour qu'on doit se jeter sur la première gourde.

670

Un papa cuisine du lapin pour le souper. Les enfants étant sensibles à cet attachant petit animal domestique, il leur cache ce que c'est jusqu'au moment du repas.

La gamine de six ans mangeait d'un bon coup de fourchette, quand le petit demande :

- Dis Papa, c'est rudement bon, mais qu'est-ce que c'est ?

Le papa, pas peu fier, lui répond :

- Tu dois deviner ce que c'est, je peux juste te dire que ta maman, de temps en temps, m'appelle comme ça...

Et là, la fille crache tout et tape dans le dos de son frère :

- Ne mange pas ça ! C'est du trou du cul !

671

Un père embarrassé tente d'expliquer à son jeune fils que dans la famille, il y aura un nouveau membre.

- Fiston, un jour, une cigogne volera au-dessus de notre maison et s'y arrêtera.

Songeur pendant quelques secondes, le petit garçon répond :

- J'espère qu'elle ne fera pas peur à Maman, elle est enceinte tu sais.

672

Quand un homme dit qu'un jeu est stupide et infantile, c'est que sa femme le bat à tous les coups.

673

On devrait essayer les hommes comme les chaussures : si ça va, alors on les garde mais s'ils vous cassent les pieds, alors on les rend le lendemain matin...

674

Un gars et sa petite fille sont au magasin de jouets pour acheter une poupée Barbie. Le gars voit une Barbie qui fait du ski pour 19.99 dollars. Il en voit une autre qui fait de la moto pour 29.99 dollars.

Et il en voit une troisième, Barbie divorcée, pour 149.99 dollars

Le gars demande à un vendeur :

- Comment se fait-il que la Barbie divorcée soit si chère ?
- C'est parce qu'elle est vendue avec la maison de Ken, l'auto de Ken, le chalet de Ken, les meubles de Ken, et la moto de Ken.

675

C'est quoi un couple extraordinaire ?

C'est un gars extra et une femme ordinaire.

676

Un homme se cogne contre une femme dans un hall d'hôtel. Durant la collision, son coude butte contre la poitrine de celle-ci. Ils sont tous deux surpris. L'homme se tourne vers elle et dit :

- Madame, si votre cœur est aussi doux que votre poitrine, je sais que vous me pardonnerez.

Ce à quoi elle répond :

- Si votre queue est aussi dure que votre coude, je suis dans la chambre 221.

677

Pour leurs 50 ans de mariage, un mari invite sa femme au restaurant :

- Chéri, je ressens la même chaleur qu'il y a 50 ans...

- Normal, t'as les nichons dans la soupe...

678

Louis Tremblay, dit le curé qui s'apprête à bénir l'union de deux jeunes gens, acceptez-vous de prendre pour épouse mademoiselle Gertrude Fortin ?

- Non, répond énergiquement le fiancé, qui s'enfuit à toutes jambes de l'église.

Aussitôt, la mariée fond en larmes.

- Et sa mère se met à hurler, en s'adressant au curé: Vous aviez bien besoin de lui demander cela ? Vous êtes vraiment le seul à avoir eu l'idée de lui demander son avis !

679

Quelle est la différence entre un jeune marié et un chien ?

Après un an, le chien est encore excité en vous voyant rentrer.

680

C'est l'histoire d'un gars qui fait du porte-à-porte. Un jour, ce gars sonne à une porte et un homme lui ouvre:

- Bonjour monsieur, on fait une quête pour la maison de retraite, vous pourriez faire un don ?

- Oui, oui, bien sûr ! Mémé, prend ton manteau !

681

Un type est devant une banque... Il se cagoule, sort son flingue et entre pour agresser la standardiste. Il lui dit :

- Mène-moi au coffre sinon, je te tue !

Elle s'exécute, lui ouvre le coffre et voilà, ce sont des éprouvettes de sperme.

- Vous voyez ce ne sont que des éprouvettes de sperme.

Il lui répond :

- Je m'en fous, bois !

Elle, paniquée, en boit une, puis deux, puis trois. Au bout d'un certain nombre, elle s'exclame :

- Mais ayez pitié, laissez-moi tranquille. Pourquoi faites vous ça ?

Il enlève sa cagoule et lui dit :

- Tu vois chérie, quand tu veux tu peux !

682

Une mémé va à l'église.

Le curé dit à l'assemblée :

- Que tous ceux qui pratiquent l'adultère avancent d'un pas.

La mémé, à moitié sourde, demande à son voisin :

- Il a dit quoi ?

Le voisin lui répond alors :

- Il a demandé que tous ceux qui sucent des bonbons à la menthe avancent d'un pas.

Donc, la mémé avance et le curé la regarde, étonné.

Elle répond :

- Ben quoi ? Ce n'est pas parce que je n'ai plus de dents que je ne peux plus sucer.

683

Edward est déprimé, il a perdu son boulot, sa femme et son disque de Michel Polnareff dans la même journée. Il appelle donc son meilleur ami Henri, qui fait tout pour lui remonter le moral.

- Salut mon vieux! Je t'ai pris une bonne cassette, qu'on regardera ensemble, et deux suppositoires!
- Merci Henri, t'es un vrai pote!

Le téléphone sonne.

- Laisse-moi répondre, t'as eu assez de problèmes pour aujourd'hui.
- Oui allô?
- Oui bonjour, ici le médecin de la mère d'Edward.
- Oui d'accord, comment va-t-elle?
- L'opération a été plus compliquée que prévu, on a dû lui greffer de la peau de chien.
- Merci. (Henri raccroche.)
- Qui c'était?
- Le médecin de ta mère mon vieux!
- Et comment va-t-elle?
- Pas mal du tout! Il paraît qu'elle reprend du poil de la bête!

684

Une femme a de petits seins, alors elle décide d'aller voir le médecin, et ce dernier lui dit de manger du fromage pendant une semaine.

Une semaine plus tard, elle revient avec des seins encore plus gros.

Le médecin, affolé, lui demande:

- Mais qu'est-ce que vous avez mangé comme fromage?

Elle répond:

- Bah, du Boursin, pourquoi?

685

Qu'est-ce qui fait qu'un homme et une banane sont semblables ?

C'est que le jour où on les laisse tomber, ils deviennent mous, laids et sans intérêt !

686

Deux gars embauchent une femme qui est belle et séduisante. Les deux veulent coucher avec elle. Le premier tente sa chance et réussit à la ramener chez lui. Le lendemain, il voit son collègue qui lui dit :

- Alors, elle était bonne ?

L'autre lui répond :

- Bof... ma femme est bien meilleure !

Le deuxième réussit à son tour à la ramener chez lui et le lendemain, son collègue dit :

- Alors, elle était bonne ?

Son collègue, lui répond alors :

- T'avais raison, ta femme est bien meilleure !

687

À un ami qui lui demandait :

- À propos qu'est devenu le perroquet que tu aimais tant ?

Un gars répond :

- Justement, je voulais te l'annoncer : je me suis marié et mon perroquet en est mort. Il ne pouvait plus placer un mot.

688

Comment fait-on pour savoir quand un homme dit des niaiseries ?

Ses lèvres bougent.

689

La télévision interviewe le dernier descendant d'une noble famille, qui fête son 100e anniversaire. Dans votre jeune temps, quelles étaient vos distractions favorites?

- Les femmes et la chasse.

Et que chassiez-vous?

- Les femmes!

690

Une femme décide de prendre des vacances dans les Caraïbes. Là-bas, elle rencontre un homme noir. Elle couche avec lui tous les jours, jusqu'à ce qu'elle doive rentrer chez elle. Avant de partir, elle lui demande quel est son prénom. Il lui répond:

- Je m'appelle Neige.

De retour à la maison, son mari lui demande comme se sont passées ses vacances. Elle répond alors, d'un air innocent:

- Oh, j'ai eu 30 centimètres de neige dans les Caraïbes.

691

Un père noble dit à son fils de 17 ans:

- Tu es grand maintenant. Il est temps que nous ayons une petite conversation sur les choses sexuelles.

- Ouais Papa, qu'est-ce que tu veux savoir?

692

Quelle est la différence entre le slip d'un homme et celui d'une femme? Le slip d'une femme est un centre d'accueil, tandis que celui d'un homme est un centre de redressement.

693

Une femme dit à son époux :

- Chérie, notre voisin embrasse sa femme chaque matin avant de partir
  à son travail. Tu ne crois pas que tu devrais en faire autant ?

Le mari :

- Mais chérie, je ne connais pas sa femme moi !

694

Comment appelle-t-on un homme qui a les deux yeux dans le même trou ?
Un gynécologue.

695

Un homme rentre chez lui, le vendredi soir, le visage défait, et dit
à son épouse :

- J'ai des problèmes...
- Je sais, répond sa femme.
- Je me suis accroché avec le boss...
- Je sais.
- Il m'a viré...
- Je sais.
- Mais comment tu le sais ?
- Il me l'a dit.
- Il te l'a dit ce fumier ! Qu'il aille se faire baiser !
- C'est fait. Tu reprends ton travail lundi.

696

Qu'est-ce qu'un homme avec un QI de 50 ?
Un surdoué.

697

Quelle est la différence entre un homme et une tomate ?

Les tomates, elles, arrivent à maturité !

698

- Moi, je voudrais mourir comme mon grand-père, il est mort pendant son sommeil, et il n'a rien senti.

- Ça, c'est une belle mort !

- Je ne voudrais surtout pas mourir en paniquant, en gesticulant et en criant, comme tous les autres dans sa voiture...

699

Qu'est-ce que les hommes et les bouteilles de bière ont en commun ?

Les deux sont vides à partir du col.

700

Une secrétaire dit à son patron :

- Chef, j'ai une bonne et une mauvaise nouvelles.

- Eh bien, donnez-moi la bonne !

- Vous n'êtes pas stérile !

701

Deux époux se disputent :

- Je te préviens, menace la femme, un mot, un seul mot de plus, et je retourne chez mes parents !

Le monsieur sort alors la tête par la fenêtre et dit :

- Taxi !

702

À l'heure du déjeuner, un enfant avoue à sa mère :

- Vous faisiez tellement de bruit cette nuit dans votre chambre, que je suis allé voir ce que vous faisiez et je t'ai vue en train de rebondir sur Papa…

La mère, un peu surprise, cherche une réponse et lui dit :

- Oh, eh bien… en fait, je rebondissais sur l'estomac de ton père, car il a un gros ventre et comme ça, j'arrive à l'aplatir…

Le gosse fait la moue et dit :

- Alors ça, ça m'étonnerait, ça ne pourra jamais marcher.

La maman, étonnée, demande pourquoi. Et le petit garçon de répondre :

- Parce que la voisine vient tous les jours, quand tu es partie, et elle re-souffle Papa !

703

Savez-vous que les hommes ont deux cerveaux ?
Un petit et un gland !

704

Comment appelle-t-on du sperme d'homme ?
Du jus de légumes.

705

Une mère de famille, en parlant de ses enfants, dit à l'institutrice.

- Mon premier est grippé, mon second est grippé, mon troisième est grippé…
- Et votre tout ?
- Ma toux est contagieuse. C'est pour ça qu'ils sont tous grippés.

706

Un avion 747 à destination de Paris soudainement chute. Le pilote de l'avion dit aux passagers qu'un des moteurs a explosé et qu'il y aura un atterrissage forcé d'ici cinq minutes.

Les passagers sont tous affolés puis tout d'un coup, une femme s'écrie :

- Si cela doit être mes dernières minutes, j'aimerais que quelqu'un me fasse sentir comme une femme…

Un homme se lève, du genre bodybuilder, enlève sa chemise blanche, la tend à la femme et lui dit :

- Repasse-moi ça !

707

Quel est le comble pour un dentiste ?

Trouver sa femme au lit avec un mâle dedans.

708

Une blonde entre dans un bar.

Elle approche le barman et timidement, lui chuchote à l'oreille :

- Où sont vos toilettes ?

Le barman lui répond :

- De l'autre côté.

Alors la blonde se déplace et lui chuchote dans l'autre oreille :

- Où sont vos toilettes ?

709

Comment appelle-t-on un homme qui utilise la méthode du «je me retire à temps» comme moyen contraceptif ?

Papa.

710

Une rousse et une blonde parlent. La rousse dit :

- J'en ai assez d'être seule... D'après toi, je devrais chercher quelle sorte de mari ?

La blonde répond :

- D'après moi, tu ferais surtout mieux de laisser les maris et de cherche un célibataire...

711

Un homme fait un vol de banque et prend des otages. Il demande au premier otage :

- M'avez-vous vu voler la banque ?

L'otage répond :

- Oui.

Le voleur, aussitôt, tire sur l'otage au niveau de la tête.

Puis, il demande au deuxième otage s'il l'a vu voler la banque.

L'otage répond :

- Moi non, mais ma femme, oui.

712

Une prière très spéciale d'une petite fille pour son papa à l'occasion la fête des pères : « S'il vous plaît, mon Dieu, apportez cette année, pour la fête des pères, des vêtements pour toutes ces pauvres femmes nues qui sont sur l'ordinateur de mon papa. Amen. »

713

Quel est le bout de peau inutile autour du zizi ?

L'homme bien sûr !

714

Un homme très sportif veut évoluer dans la société.

Il commence en bas de l'échelle et fait du basket.

Il évolue et gagne de plus en plus d'argent : il fait du hockey.

Il devient chef de service et fait du tennis.

Puis, il devient chef d'entreprise et fait du golf.

Moralité : plus on évolue dans la société, plus les boules sont petites !

715

Dans un bus rempli de petits vieux en tournée spéciale pour le troisième âge à Lourdes, une mamie tapote l'épaule du chauffeur et lui tend une bonne poignée de cacahuètes. Le chauffeur, un peu étonné, la remercie et avale d'un trait les arachides. Ça tombe bien, il avait justement un petit creux. Cinq minutes plus tard, la vieille remet ça. Le chauffeur la remercie de nouveau et gobe les cacahuètes. Cinq minutes plus tard, le même cirque recommence.

Au bout de 10 poignées, le chauffeur en a plein les ratiches et demande à la mémère :

- Dites donc, Mamie, c'est bien gentil de me gaver de cacahuètes, mais vos 40 collègues, ils n'en veulent pas un peu ?

- Ben non… voyez-vous, avec nos dents, on ne peut pas les mâcher. Y'a que le chocolat autour, qu'on aime…

716

Que représente les chiffres cinq, neuf, et un ?

Réfléchissez un peu…

Cinq minutes de plaisir, neuf mois d'attente, une bouche en plus à nourrir !

717

Un couple, arrivé en fin de mois, se retrouve un peu juste financière-
ment. C'est pourquoi le mari décide d'envoyer sa femme sur le trottoir
pour se prostituer. Le soir, dès qu'elle rentre, il lui demande :
- Alors, combien d'argent as-tu gagné ?
- 505 dollars.
Horrifié, son mari lui demande :
- Mais, qui est le maudit qui t'a donné cinq dollars ?
Et elle lui répond :
- Mais tous.

718

Un petit garçon dit à sa mère en rentrant chez lui :
- Aujourd'hui, j'ai pris le bus avec Papa. Il m'a dit de laisser ma place
  à une dame...
La maman lui répond :
- C'est très bien mon petit, tu as fait une bonne action.
- Mais Maman, j'étais assis sur les genoux de Papa !

719

Quel est le temps du verbe dans la phrase suivante : « Je suis enceinte » ?
C'est l'imparfait du préservatif.

720

Une femme demande à son mari :
- Est-ce que tu m'aimes, par amour ou par intérêt ?
- Ce doit être par amour parce que cela fait longtemps que tu ne
  m'intéresses plus...

721

Un type est dans son lit avec son pénis dressé sous l'édredon. Son fils entre et regarde la bosse, étonné :

- C'est quoi ça, Papa ?

Le père :

- Va voir ta mère et dis-lui que le chapiteau est dressé et que la représentation va commencer.

Le fils descend les escaliers et remonte quelques minutes plus tard :

- Maman a dit que la représentation est annulée parce que le petit clown a le nez qui saigne.

722

Qu'est-ce qu'une réceptionniste dans une clinique de sperme dit aux clients quand ils s'en vont ?

Merci d'être venus.

723

Un gars de 80 ans se réveille au beau milieu de la nuit au comble de l'étonnement. Il faut dire qu'il est en pleine érection et que ça ne lui était pas arrivé depuis deux ans. Il prend l'épaule de sa femme et la secoue jusqu'à ce qu'elle se réveille, et il lui montre son énorme bite turgescente :

- Alors chérie, qu'est-ce que tu penses de ça ? Tu n'as pas une idée de ce qu'on pourrait faire avec ?

Et la vieille, avec un œil ouvert, lui répond :

- Hum... maintenant que tous les plis ont disparu, tu devrais en profiter pour la laver !

724

Un petit garçon fait ses devoirs de français. Tout à coup, il demande à son père :

- Papa… le mot chat, c'est bien un «t» que ça prend à la fin, pas un «s» ?
- Ça dépend du sens. S'il s'agit de l'animal qui fait «miaou», alors c'est effectivement un «t». Mais s'il s'agit du trou d'une aiguille dans lequel on passe le fil à coudre, c'est alors un «s».
- Et le chat des bonnes femmes, ça prend un «t» ou un «s» ?
- Ça dépend si tu le caresses ou si tu l'enfiles.

725

Un petit vieux embrasse sa vieille entre les deux cuisses.

- Oh mon Dieu, tu étais presque rendu en enfer.
- Je trouvais aussi que ça sentait le diable !

726

Une femme dit à son mari, qui vient tout juste de rentrer nuitamment et qui sent l'alcool à cinq mètres :

- Tu peux m'expliquer à quoi ça rime de rentrer à la maison à moitié bourré ?

Le mari :

- Ce n'est pas de ma faute, je n'avais plus d'argent…

727

Un homme dit à sa femme :

- Hé chérie, ce week-end, je pars à la pêche.

Sa femme lui répond :

- Oui je sais, ta truite a appelé !

728

Quel est le point commun entre la monogamie et la bigamie ?
Dans les deux cas, cela consiste à avoir une femme de trop.

729

Pourquoi les blagues sur les blondes sont-elles courtes ?
Pour que les garçons les comprennent.

730

Prenez deux hommes.

- Le premier est en Australie. Il marche sur une corde raide à 100 mètres d'altitude.
- Le deuxième est à Montréal. Il se fait faire une fellation par une femme de 95 ans.

Un hasard extraordinaire veut que ces deux hommes pensent exactement à la même chose et pourtant, des milliers de kilomètres les séparent... À quoi pensent-ils ?
« Surtout, ne regarde pas en bas... Surtout, ne regarde pas en bas... »

731

Qu'est-ce qu'il y a de plus beau sur le corps d'une femme ?
Un homme.

732

Quelle différence y a-t-il entre les cuisses d'un homme et les cuisses d'une femme ?
Entre les cuisses d'un homme, c'est toujours le même pénis !

733

Au marché, une vendeuse crie à une autre vendeuse :

- Hé, Honorine, tu sais la nouvelle ?

- Non !

- Je marie ma fille !

- Oh là, tabarnak !

- Non, pas celle-là, mais l'autre !

734

Un mari et sa femme sont au lit. Tout à coup, la femme sent la main de son mari lui caresser l'épaule, et elle lui dit :

- C'est bien, continue.

La main se déplace vers les seins, et elle dit :

- Oui, chéri, continue.

Ensuite la main se déplace vers son ventre :

- N'arrête surtout pas !

Mais lui s'arrête.

Elle rétorque :

- Pourquoi tu ne continues pas ?

Et son mari lui répond :

- J'ai retrouvé la télécommande.

735

Un clochard discute avec un autre :

- Grâce à ma trompette, je suis très riche.

- Les gens te donnent beaucoup d'argent pour que tu joues ?

- Non, ils m'en donnent pour que j'arrête.

736

Quel est le nom de la fée du plaisir ?

La fée Lation.

737

Trois cigognes se rencontrent dans le ciel et se demandent les unes aux autres.

- Tu vas où ?

- Oh, je vais chez un couple qui essaye d'avoir un enfant depuis 10 ans... Je leur apporte une petite fille.

- C'est cool !

- Et toi ?

- Je vais chez une dame qui n'a jamais eu d'enfants. Je lui apporte un petit garçon !

- C'est bien, je suis sûre qu'elle va être vraiment heureuse.

- Et toi ? demandent les deux premières à la troisième cigogne.

- Moi ? Je vais juste là, à côté, au couvent. Je ne leur apporte jamais rien mais j'adore leur foutre la trouille !

738

Deux blondes décident d'économiser un peu et se rendent dans les bois pour trouver un sapin de Noël... Après deux heures de recherches intensives, la première, harassée, s'exclame :

- Bon ça va faire, le prochain qu'on voit, avec ou sans boules, on le prend !

739

Un homme va chez le docteur et lui dit :

- Docteur, tout le monde m'ignore !

Le docteur :

- Au suivant !

740

Deux enfants de huit ans conversent dans la chambre. Le gamin demande à la petite fille :

- Que vas-tu demander pour la Saint Nicolas ?

- Je vais demander une Barbie, et toi ?

- Moi, je vais demander un Tampax, répond le garçon.

- C'est quoi, un Tampax ?

- J'en sais rien... mais à la télévision, ils disent qu'on peut aller à la plage tous les jours, aller à vélo, faire du cheval, danser, aller en boîte, courir, faire un tas de choses sympas, et le meilleur... sans que personne ne s'en aperçoive !

741

Quelle chance ont les gens de 50 ans et plus ?

Argent dans les cheveux.

Or dans les dents.

Cailloux dans les reins.

Sucre dans le sang.

Plomb dans les pieds.

Fer dans les articulations.

Source inépuisable de Gaz Naturel.

Vous ne pensiez pas accumuler tant de richesses !

742

Quel est le point commun entre un meurtrier et un homme qui vient de faire l'amour ?

Ni l'un ni l'autre ne savent comment se débarrasser du corps...

743

Confidences de deux gars à la pêche.

Deux hommes sont à la pêche blanche, sur leur trou de pêche favori, juste à pêcher tranquillement et boire leur bière...

Presque silencieusement, afin de ne pas effrayer le poisson, Bob dit :

- Je pense que je vais divorcer de ma femme, elle ne m'a pas parlé depuis plus de deux mois.

Son compagnon continue lentement à boire sa bière à petits coups, et dit alors, pensivement :

- Penses-y bien ; des femmes comme ça, c'est dur à trouver.

744

Raymonde, grâce aux progrès de la science, vient d'avoir un enfant alors qu'elle a tout de même 71 ans. Ses voisines, Berthe et Suzanne, viennent lui rendre visite et voir le gamin.

- Vous le verrez plus tard, pour le moment ce n'est pas possible. Je vais faire du café en attendant.

L'après-midi avance et les voisines lui redemandent à voir le bébé.

- Ce n'est toujours pas possible.

Alors, Berthe lui demande :

- Et pourquoi ce n'est pas possible, enfin, tu nous caches quelque chose ?

- Ben, j'attends qu'il pleure, je ne me rappelle plus où je l'ai mis !

745

Lorsqu'un homme dit à sa femme «arrête-toi un peu chérie, tu travailles trop!», il pense plutôt «je n'arrive plus à entendre la télévision avec le bruit de l'aspirateur».

746

Une femme entre dans un magasin de lingerie et demande au vendeur s'il lui serait possible de faire broder un texte sur ses culottes et soutiens-gorge...

- Pas de problème, répond le vendeur, quel est le texte?

- SI VOUS POUVEZ LIRE CECI ALORS, C'EST QUE VOUS ÊTES TROP PRÈS.

- Hum, oui, et... en lettres cursives ou capitales?

- Ni l'un ni l'autre... En braille!

747

Un employé d'une grande entreprise prend le téléphone et dit:

- ALLÔ, MA POULE? LÈVE TON JOLI PETIT CUL ET MONTE-MOI UN CAFÉ ET UN CROISSANT, ET PLUS VITE QUE ÇA, MA BELLE!

De l'autre côté du téléphone, une voix très masculine lui répond:

- ESPÈCE DE CON, TU T'ES TROMPÉ DE NUMÉRO. SAIS-TU À QUI TU PARLES? AVEC LE DIRECTEUR GÉNÉRAL!

Et l'autre lui dit:

- ET TOI, ÉPAIS, TU SAIS À QUI TU PARLES?

Le directeur rétorque:

- NON!

Et l'employé répond:

- OUF!

Et il raccroche.

748

Dimanche, six heures du matin, l'homme se lève sans faire de bruit pour ne pas réveiller son épouse. Il charge son VTT dans la voiture, et s'en va. Arrivé sur le parcours, il se met à tomber des trombes d'eau. Sa matinée est foutue, il décide de rentrer chez lui. Il se déshabille sans faire de bruit, et se recouche doucement tout près de son épouse, en lui chuchotant à l'oreille :

- Il pleut comme le diable.

Et elle répond :

- Quand je pense que l'autre con est en train de pédaler !

749

Un mec va aux toilettes dans un bar. La première est occupée et il entre dans la deuxième. À peine se met-il sur la cuvette qu'il entend :

- Salut ! Comment ça va ?

Surpris, il se dit que c'est un drôle d'endroit pour se lier d'amitié avec quelqu'un, mais bon, on ne choisit pas...

- Euh... ça va, dit-il, embarrassé.

- Qu'est-ce que tu fais de beau ?

- Ben, je fais comme toi... caca...

Et là, il entend :

- Écoute, je te rappelle plus tard, il y a un con à côté qui répond à toutes mes questions !

750

Dans un petit village, le croque-mort fait la toilette mortuaire du rebouteux qui vient de mourir. Il s'aperçoit qu'il a un sexe phénoménal alors, il le découpe et le ramène chez lui le soir. Il appelle sa femme et lui montre le tout

Alors, elle lui dit :

- Tiens ! Le rebouteux est mort ?

751

Le soir, dans la chambre, un homme, nu devant la glace, contemple son sexe, et dit fièrement à sa femme :

- J'en aurais trois centimètres de plus, je serais le roi !

Et elle lui répond:

- T'en aurais trois de moins, tu serais la reine...

752

Trois hommes se demandent quelle est la chose la plus rapide au monde.

Le premier dit :

- Moi, je dirais que c'est la pensée, puisque la pensée est immédiate.

Le deuxième dit :

- Moi, je dirais que c'est la lumière, car il est prouvé que rien ne bat la vitesse de la lumière.

Le troisième dit :

- Moi, je dis que c'est la diarrhée, parce que quand tu as la diarrhée, t'as même pas le temps de penser ni d'ouvrir la lumière que t'es déjà dans la merde.

753

Sur le bord du Nil, trois hommes, voyant un crocodile dans l'eau, se mettent à lui jeter des cailloux. À un moment, le crocodile, en colère, s'approche de la rive, prêt à monter sur la berge.

Deux des hommes se sauvent et montent dans un arbre.

Le troisième, impassible, ne bouge pas.

Les autres l'appellent et lui disent de se sauver. Alors, l'autre leur répond :

- Ça va, je n'ai pas jeté de cailloux, moi.

754

Quelle est la différence entre un vieux pneu et un tas de 365 capotes usagées ?

Aucune, it was a good year !

755

Un gars est invité à une grande réception.

Une heure après le début de la soirée, il va aux toilettes. Il remarque que le gars qui pisse à côté de lui a deux jets.

- C'est quoi, ça ?

- Ah ça, mon petit jeune, c'est une blessure de guerre...

Une heure plus tard, il revient aux toilettes publiques et voit un autre gars à côté, mais lui, il a trois jets de pipi.

- C'est quoi, les trois jets ?

- Ça, c'est une vieille blessure de la guerre de 1930.

Une heure après, l'homme y retourne et voit un autre mec qui a 15 jets de pipi. Il lui demande :

- C'est une vieille blessure de guerre, vous aussi ?

- Non, c'est juste que je suis trop saoul pour baisser ma fermeture éclair...

756

Un homme se promène dans la rue. Il accoste une belle jeune femme et lui dit :

- Je suis ceinture noire, troisième dan et j'ai le goût de te violer !

La fille lui répond :

- Je suis ceinture sanitaire, deuxième journée, et je vais te beurrer !

757

Lorsqu'un homme dit à sa femme «cela prendrait trop de temps pour t'expliquer», il pense plutôt «je n'ai aucune idée de la façon dont cela marche».

758

Un homme va au cinéma. Il achète son billet à la caisse et entre. Une minute après, il revient et en achète un autre. Une minute plus tard, il revient et achète encore un autre billet. La caissière lui demande :

- Je ne comprends pas, je vous ai déjà vendu trois billets, et vous en voulez encore ?

L'homme dit :

- Je sais, mais quand j'entre dans la salle, il y a un gars qui me les déchire !

759

Un prof dit à ses élèves :

- Les hommes intelligents sont toujours dans le doute. Seuls les imbéciles sont constamment affirmatifs.

- Vous en êtes certain ? demande une élève.

- Absolument certain !

760

Un homme, devant un distributeur de boissons, a une vingtaine de cannettes à ses pieds, mais il continue d'en prendre.

Alors, son patron derrière lui dit :

- Vous n'en avez pas assez ?

Aussitôt, l'homme répond :

- Tant que je gagne, je joue !

761

Comment font les nains pour s'essuyer le derrière ?

Ils courent dans l'herbe !

762

Pourquoi dit-on que la branlette rend sourd ?

Parce qu'on est tout le temps en train d'écouter si quelqu'un arrive.

763

À la maternité, un jeune père entre dans la chambre de sa femme :

- Pouh… je suis tellement ému, il faut que je m'asseye… Mais, où est mon fils ?

- Tu es assis dessus…

764

Une femme va bientôt se marier. Elle demande à son futur mari :

- Aimes-tu les chats ?

Il répond :

- Je ne sais pas, mais tu sais, je suis habitué à manger de tout !

765

Un savant fait travailler une puce. Il lui dit :

- Saute !

La puce saute. Il lui coupe les pattes et dit :

- Saute !

La puce ne saute pas, alors le savant note sur son carnet : « Lorsque l'on coupe les pattes d'une puce, elle devient sourde. »

766

À la poste, un monsieur dont la main est dans le plâtre s'approche d'une dame qui fait la queue au guichet :

- Pardon, madame, voudriez-vous m'écrire l'adresse sur cette carte postale ?

La dame s'exécute de bonne grâce, acceptant même d'ajouter quelques mots et de signer pour lui.

- Voilà ! dit-elle, puis-je faire autre chose pour vous ?

- Oui, répond le monsieur, pourriez-vous ajouter en post-scriptum « prière d'excuser l'écriture ».

767

Un roi africain est enfin papa. Problème : le bébé est Blanc. Il va alors voir le seul Blanc de son entourage, afin de lui demander des explications. Le Blanc tente de se justifier :

- Enfin, c'est la nature... tu vois, la chèvre, elle est blanche... mais son chevreau est noir...

Le roi africain réfléchit puis sourit, avant de répondre :

- Ok, j'ai compris. Je ne dis rien pour le bébé, mais tu ne dis rien pour la chèvre.

768

- Alors, demande une dame à sa grande fille qui fête son premier anniversaire de mariage, toujours pas d'enfant ?
- Hélas ! répond la malheureuse, j'ai commis une erreur monumentale, en épousant le Président du Club des timides. Si je te disais qu'à chaque fois que j'ai voulu faire l'amour, depuis le début de notre mariage, il n'a jamais voulu se présenter autrement que de dos...

769

Une femme va dans une pharmacie et achète pour 2 500 dollars de produits amaigrissants. Elle demande au pharmacien :
- Vous pensez que je vais perdre combien avec ça ?
Le pharmacien répond alors :
- Eh bien... 2 500 dollars.

770

Un Marocain cherche sa femme dans un marché, il heurte un Français qui lui dit :
- Tu peux faire attention ?
Le Marocain répond :
- Désolé, je cherche ma femme.
Le Français dit :
- Moi aussi.
- Elle est comment ta femme ?
- Blonde, yeux verts, 1,77 mètres, mince, décolleté, mini-jupe noire, talons aiguilles. Et toi ? Décris-moi ta femme.
Le Marocain répond :
- Tu sais quoi ? On va chercher la tienne !

771

Pourquoi les femmes simulent-elles la jouissance ?
Les hommes simulent bien les préliminaires, eux.

772

Lorsqu'un homme dit à sa femme «on va partager les tâches ménagères», il pense plutôt «je vais continuer à foutre le bordel, et tu le nettoieras».

773

Trois amis discutent, l'un dit :
- Moi, j'ai 10 garçons !
L'autre dit :
- Bah, si t'en fais un onzième, tu auras une équipe de soccer...
Le deuxième enchaîne :
- Moi, j'ai 14 garçons !
L'autre rétorque :
- Mais, si tu en faisais un quinzième, tu aurais une équipe de rugby !
Et le troisième dit :
- Moi, j'ai 17 filles !
L'autre rétorque :
- Si tu en faisais une dix-huitième, tu pourrais faire un golf.

774

- Que feras-tu, ma chérie, demande une voisine à la petite fille de la maison, quand tu seras grande comme ta maman ?
- Eh bien, répond la gamine, à ce moment-là, je crois qu'il sera temps que je me mette au régime.

775

- Mademoiselle, dit le médecin, après avoir procédé à un examen approfondi de sa patiente, je suis formel, vous êtes enceinte et en ce qui vous concerne, vous vous trouvez dans une forme parfaite, mais le père de l'enfant, est-il en bonne santé ?
- Je le suppose, mais je peux vous jurer que si je lui mets la main dessus, il ne le restera pas longtemps, en bonne santé !

776

On sonne à la porte d'entrée.

Une petite fille va ouvrir la porte et se retrouve devant un homme, qui lui demande :

- Ta maman est là ?
- Je vais voir, monsieur. La petite fille se précipite à l'intérieur de l'appartement, puis revient en disant :
- Maman m'a dit de vous dire qu'elle n'était pas là.
- Parfait, répond l'homme. Tu lui diras que je ne suis pas venu.

777

Un fou tourne depuis une heure autour d'une bouche d'égout en disant :
- 28, 28, 28...

Un homme s'approche et lui dit :

- Ça ne va pas monsieur ? Pourquoi répétez-vous « 28 » ?

Le fou le pousse dans le trou et dit :

- 29, 29, 29…

778

Un enfant court vers sa maman et s'écrie :

-Dis Maman, c'est quoi un travesti ?

Sa maman répond :

- Je te le dirai quand tu seras plus grand... Et arrête de m'appeler « Maman », ça m'agace !

779

Une petite fille demande à son père :

- Dis Papa, c'est où la Mauritanie ?

Alors, le père répond :

- Demande à ta mère, c'est elle qui range tout !

780

Quel autre nom peut être donné à la maladie de la vache folle ?

La ménopause.

781

Quand deux femmes sont d'accord, c'est en général sur le dos d'une troisième.

782

Comment appelle-t-on quelqu'un qui parle trois langues ?

Un trilingue.

Comment appelle- t-on quelqu'un qui parle deux langues ?

Un bilingue.

Comment appelle-t-on quelqu'un qui parle une langue ?

Un Français.

783

Dis Maman, un ange, ça vole ?

- Bien oui...

- Mais pourquoi, alors, la servante ne vole-t-elle pas ?

- Pourquoi dis-tu ça ?

- Parce que Papa a appelé la servante, mon ange...

- Attends demain, tu vas voir qu'elle va voler.

784

Pourquoi la tête des Français a-t-elle pris de la valeur cette année ?
Parce qu'il y a eu une augmentation de la taxe sur l'eau.

785

Un bonhomme rentre dans une boutique de lingerie fine et dit :

- Je voudrais acheter un soutien-gorge pour ma femme.

- Bien, quelle taille ?

- Hein ? La taille ? Eh bien, je ne sais pas.

- Euh, voyons... A-t-elle des seins comme des pamplemousses ?

- Oh non !

- Comme deux pommes alors ?

- Non plus, non !

- Alors comme deux œufs ?

- Oui, c'est ça ! Comme deux œufs brouillés !

786

Lorsqu'un homme dit à sa femme « mais je n'ai aucunement besoin de lire les instructions », il pense plutôt « je suis parfaitement capable de foirer le montage sans l'aide d'une notice ».

787

Quelle est la définition d'un pénis ?

Une petite racine au bout d'un gros légume.

788

Pourquoi y a-t-il un dégivreur sur la vitre arrière d'une Lada ?

Pour avoir les mains au chaud en poussant !

789

Quelle est la différence entre le bridge et le sexe ?

Au bridge, si tu as une bonne main, tu n'as pas besoin d'un trop bon partenaire, alors que dans le sexe, si tu n'as pas un bon partenaire, il faut savoir compter sur une bonne main.

790

Après 20 ans de mariage, qu'est-ce qu'un gars fait après avoir fait l'amour ?

Il s'en retourne chez lui.

791

Guy s'était senti coupable toute la journée. Même en essayant d'oublier de toutes ses forces, il n'y parvenait pas et ce sentiment de malaise l'envahissait toujours. De temps en temps, il entendait cette petite voix au fond de lui qui essayait de le rassurer :

- Ne t'en fais pas Guy, tu n'es pas le premier qui couche avec l'une de ses patientes et tu ne seras pas le dernier !

Mais invariablement, une autre voix le ramenait à la triste réalité :

- Guy, tu es vétérinaire...

792

Dans un train, bondé de militaires, qui les emmènent en voyage de noces, un jeune marié dit à sa tendre épouse :

- Si j'avais su que ce tunnel était si long, je t'aurais fait l'amour.

- Comment ? s'étonne-t-elle. Ce n'était pas toi ?

793

Un jeune homme demande à sa fiancée :

- À ton avis, pourquoi dit-on que les chats sont rusés, méchants, et égoïstes ?

- Mais parce que c'est vrai, mon minet !

794

Une femme, après plusieurs années de mariage, en a soudain plus qu'assez que son mari exige qu'ils fassent toujours l'amour dans le noir. Espérant libérer son mari de ses inhibitions en agissant sans prévenir, elle profite d'une séance de ça-va-ça-vient torride pour allumer la lumière… et découvre dans son sexe, non pas un pénis turgescent, mais un concombre tout à fait naturel.

- Tu ne vas pas me dire que tu as utilisé ça pendant les cinq années qui viennent de s'écouler ?

- Chérie… laisse-moi t'expliquer !

- Épais ! Tu n'es qu'un… qu'un… qu'un impuissant !

- Impuissant peut-être, mais en parlant d'épais, peut-être voudrais-tu m'expliquer comment sont nés nos trois enfants ?

795

Pourquoi un veuf achète-t-il des condoms noirs?

Parce qu'il a promis à sa femme de porter le deuil fidèlement, jusqu'au bout.

796

Lorsqu'un homme dit à sa femme «je peux t'aider pour le repas?», il pense plutôt «pourquoi est-ce que tout n'est pas encore sur la table?»

797

Ta femme est à la mer?

- Oui, et je lui écris tous les jours!

- Ça alors! Après 10 ans de mariage, c'est de l'amour ou je ne m'y connais pas!

- Oui, mais en partant, elle m'a dit: «Si tu ne m'écris pas tous les jours, je reviens immédiatement!»

798

Une belle-mère terrible raconte:

- Le seul point de supériorité que je concède à ma bru, c'est qu'elle parvienne à faire ce qu'en plus de 20 ans, je n'ai jamais réussi: obliger mon fils à aller se coucher de bonne heure.

799

Le jour de la confession:

- Voilà, mon père... hier, j'ai fait l'amour 19 fois avec ma femme!

- Mais, mon fils, avec votre femme, ce n'est pas un péché!

- Oui, mon père, mais 19 fois! Il fallait bien que je le dise à quelqu'un!

800

Lettre reçue par un docteur :

Docteur, je n'en peux plus. Mon mari est actuellement intenable.
Il a envie de moi tout le temps et il me prend partout, dans la chambre,
dans la cuisine, quand je fais le ménage ou la cuisine, etc.
Que puis-je y faire ?

P.-S. : Excusez mon écriture saccadée.

801

Sur les conseils d'une amie, une femme va consulter un sexologue.
Après un petit questionnaire, le sexologue lui dit :
- Si je comprends bien, votre équilibre sexuel dépend de certains
  facteurs...
La femme lui répond :
- Pas seulement les facteurs, il y a aussi les employés du gaz...

802

Un petit garçon regarde sa mère qui, après avoir fait le repas, lavé
la vaisselle, et passé l'aspirateur, est en train d'étendre le linge.
Et il lui demande :
- Maman, qu'est-ce que tu faisais avant de travailler chez nous ?

803

Lorsqu'un homme dit à sa femme « je ne suis pas perdu, je sais exactement où nous sommes », il pense plutôt « je crois que personne ne nous
reverra vivants, un jour ».

804

Santé publique : fin de la saga VIAGRA !

Le ministère de la Santé a décidé hier le retrait du Viagra du marché.

Motif : un traitement plus efficace a été mis sur le marché, l'eau bouillante.

En effet, l'eau bouillante durcit les œufs, allonge les saucisses et ouvre les moules.

805

Par une nuit d'une douce torpeur, deux amoureux s'enlacent tendrement contre un arbre :

- Ah chéri, comme cet endroit est romantique, entends-tu les grillons ?

- Ce ne sont pas des grillons, fait le gars, ce sont des fermetures Éclair® !

806

Un homme s'étonne auprès de son copain :

- Quoi ? Toi, si pudique, tu as emmené ta femme, cet été, dans un camp de nudistes ?

- Oui mais au moins, pendant un mois, elle ne s'est pas plainte de n'avoir rien à se mettre !

807

Une femme jalouse fait irruption dans le bureau de son mari et trouve la secrétaire sur ses genoux. Imperturbable, le mari, s'adresse à la secrétaire :

- Après la formule de politesse d'usage, veuillez rappeler au PDG que nous n'avons toujours qu'une seule chaise pour travailler à deux dans ce bureau... ce qui n'est pas supportable !

808

Pendant la soirée du mariage, le marié et son témoin, deux amis d'enfance qui ont toujours eu la réputation d'être de vrais Don Juan, se remémorent leurs exploits en rigolant :

- Tu sais Michel, je crois que, sans compter mes deux sœurs et ma mère, j'ai connu bibliquement toutes les femmes de la soirée.

Et Michel lui répond :

- Eh bien alors, cela veut dire qu'à nous deux, on les a toutes eues !

809

À la maternité, un homme anxieux attend dans le couloir. Un médecin arrive et lui dit :

- J'ai une mauvaise nouvelle à vous annoncer : ce sont des jumeaux.
- Mais ce n'est pas une mauvaise nouvelle docteur et puis, je m'y attendais un peu car, pour tout vous dire, j'en ai une grosse comme une cheminée !
- Ah, c'est pour cela… Eh bien, il faudra la ramoner, parce qu'ils sont noirs.

810

Lorsqu'un homme dit à sa femme « on va être en retard », il pense plutôt « maintenant, j'ai une bonne excuse pour conduire comme un fou ».

811

Deux dames discutent :

- Tu as déjà vu le visage de ton mari tout en faisant l'amour ?
- Une fois oui, il me regardait justement par la fenêtre de la chambre à coucher, et il était très en colère…

812

Un mari rentre chez lui à l'improviste et trouve sa femme dans son lit avec un nain :

- Chérie, tu avais promis de ne plus me tromper !

Sa femme lui répond :

- Oui, je sais bien, mais, comme tu peux le constater, je diminue la dose...

813

Pourquoi la statue de la liberté est-elle une femme ?

Il fallait que la tête soit vide pour y faire un restaurant.

814

Une femme dit à un homme :

- Tiens, tu portes le chandail de ta femme !

- Pourquoi dis-tu ça ?

- Parce qu'il y a un trou pour la tête...

815

Combien de maris ça prend pour changer une ampoule électrique ?

On le saura dès que l'un d'entre eux voudra bien se lever du divan pour le faire.

816

Lorsqu'un homme dit à sa femme « tu sais que je n'ai aucune mémoire », il pense plutôt « je me rappelle du générique de Mission Impossible, de l'adresse de la première fille que j'ai embrassée, et des numéros d'immatriculation de toutes les voitures que j'ai pu conduire, mais j'ai oublié ton anniversaire.

817

Ginette est allée à un bal costumé, et son mari lui demande :

- Alors c'était bien, cette soirée ?
- Oh, c'était super ! J'ai dansé avec un mec génial qui était déguisé en Adam !
- En Adam ? Et alors ?
- Eh bien, maintenant, je sais ce que signifie : « être dur de la feuille » !

818

Une femme va chez le dentiste. Au moment où le dentiste s'approche du fauteuil pour commencer son travail, elle lui attrape les testicules au travers de ses vêtements !

Le dentiste lui dit :

- Wow ! Madame, vous êtes en train de serrer mes parties...

La femme lui répond :

- Oui. Et maintenant, nous allons être prudents et tenter de ne pas nous faire mal, ni l'un, ni l'autre. D'accord ?

819

Le sexe masculin est ce qu'il y a de plus léger au monde, car une simple pensée peut le soulever.

820

Que dire à l'homme avec lequel vous venez tout juste de faire l'amour ? Peu importe, il dort déjà...

Comment appelle-t-on 10 femmes sur un balcon ?

- Une galerie d'art.

Comment appelle-t-on 10 hommes dans un escalier ?

- Une descente de caves.

Un couple de paysans participe à la remise des prix d'un concours de taureaux.

Le présentateur annonce :

- Troisième prix, le taureau Gédéon, trois ans, trois saillies par jour !

La femme dit, tout en tapant du coude son mari :

- Entends-tu ? Trois fois par jour ! Tu devrais en prendre de la graine !

Le présentateur continue :

- Deuxième prix, le taureau Gérard, cinq ans, six saillies par jour !

La femme, excitée :

- Entends-tu ? Entends-tu ?

Le présentateur, enfin :

- Et le premier prix, le taureau Germain, quatre ans et demi, neuf saillies par jour !

La femme, de plus en plus excitée :

- Entends-tu ? Entends-tu ? Entends-tu ?

Le mari s'adresse alors au présentateur :

- Et les neuf fois par jour, c'est avec la même vache ?

- Euh... non.

Alors, il dit à sa femme :

- Et toi, entends-tu ?

823

Un homme va chez une dame afin de lui livrer de la terre noire. Il recule son camion dans la cour, mais il ne peut reculer jusqu'au fond, car il y a une corde à linge qui lui bloque l'accès. Sur cette corde à linge, il y a des petites culottes d'accrochées.

L'homme débarque de son camion, frappe à la porte, la dame lui ouvre et il lui demande :

- Pourriez-vous enlever vos petites culottes que je décharge ?

824

Quelle est la différence entre un homme et la naissance d'un enfant ? L'un peut être terriblement pénible et quelques fois insupportable, tandis que l'autre, c'est simplement le fait d'avoir un bébé.

825

Lorsqu'un homme dit à sa femme «je n'arrive pas à le retrouver», il pense plutôt «je ne suis pas parvenu à tomber dessus par hasard».

826

Un homme entre dans la chambre conjugale où se trouve sa femme. Il enlève son pantalon et le lance à sa femme puis, il dit :

- Allez, enfile mon pantalon !

Sa femme un peu surprise s'exécute et dit :

- Mais voyons chéri, tu vois bien qu'il est trop grand pour moi et qu'il tombe !

L'homme manifestement heureux répond :

- Sache, ma femme, qu'ici c'est moi qui porte le pantalon, donc c'est moi qui donne les ordres !

827

Un type rentre dans une pharmacie dans Outremont et dit :

- Bonjour, je voudrais des condoms, s'il vous plaît.

La pharmacienne lui dit à voix basse:

- Excusez-moi, monsieur, mais vu notre clientèle assez conservatrice, nous employons un code pour désigner certains produits. En l'occurrence, celui que vous demandez est nommé « ticket de métro ».

À ce moment, une bonne sœur entre dans la pharmacie et capte la conversation en cours...

Et le type reprend:

- Bon alors, s'il vous plaît, je voudrais un ticket de métro.

La pharmacienne lui donne un petit sachet et le type s'en va.

La bonne sœur demande de l'aspirine et s'en va, elle aussi. Puis, elle descend dans le métro et voit qu'il y a beaucoup de monde au guichet. Comme elle n'a pas de ticket, elle se dit :

- Tiens, vu qu'ils en vendent à la pharmacie, je vais y aller, au moins il n'y a personne là-bas.

Elle y retourne et demande :

- Re-bonjour mademoiselle, je voudrais un ticket de métro s'il vous plaît.

- Enfin, ma sœur, pas à vous, je n'oserais pas…

- Mais vous me rendriez un grand service, car si vous saviez la longueur de la queue qui m'attend en bas...

828

Sais-tu comment on appelle une femme qui donne une permanente à un homme ?

L'intelligence qui frise le ridicule...

829

L'homme dit :

- Dieu ?

Dieu dit :

- Oui.

L'homme :

- Puis-je vous poser une question ?

Dieu :

- Bien sûr.

L'homme :

- Qu'est-ce qu'un million d'années pour vous ?

Dieu :

- Une seconde.

L'homme :

- Et un million de dollars ?

Dieu :

- Un cent.

L'homme :

- Pouvez-vous me donner un cent ?

Dieu :

- Attends une seconde...

830

Une vieille femme fait du rangement dans son grenier et tombe sur une lampe poussiéreuse. Elle la frotte et là, un génie apparaît et lui dit :

- Demande-moi trois choses et je te les accorderai.

La vieille femme demande alors une fortune, et elle se retrouve aussitôt entourée de bijoux et d'or.

Elle demande ensuite à être jeune et jolie et elle se retrouve transformée en jolie princesse.

Pour finir, elle demande à ce que son vieux chat soit transformé en prince charmant : aussitôt dit, aussitôt fait.

Elle se jette alors dans les bras du prince et ce dernier dit :

- C'est maintenant que tu vas regretter de m'avoir fait castrer !

831

Deux amis passionnés de golf font une partie, quand passe un enterrement près du parcours. Celui dont c'était le tour arrête alors son mouvement et enlève sa casquette en signe de recueillement.

Le deuxième dit :

- Dis donc, je croyais bien te connaître, et je pensais que rien, même pas un tremblement de terre, ne t'empêcherait de jouer !

Alors, le premier répond :

- Écoute, ça faisait quand même 25 ans qu'on était mariés.

832

Après avoir vu sa grosse femme partir vers la salle de bains afin de se peser, un monsieur lui lance, ironiquement :

- Ce cri d'horreur que je viens d'entendre, c'est toi qui l'as poussé ou c'est la balance ?

833

Qu'est-ce qu'une femme mariée fait à son trou du cul tous les matins ?
Elle l'habille et elle l'envoie au boulot.

834

Une journaliste va chez un gars connu, et elle lui dit :

- Est-ce que je peux voir votre cuisine ?

- Oui, c'est ici !

- Vous avez une jolie vaisselle !

- C'est mon ex-femme qui me l'a donnée.

- Est-ce que je peux voir votre salon ?

- Avec plaisir ! Suivez-moi.

- Votre divan est magnifique !

- C'est mon ex-ex-femme qui me l'a donné.

- Est-ce que je peux voir votre salle de bains ?

- Oui, c'est en haut.

- Vos serviettes sont d'une très belle couleur !

- C'est mon ex-ex-ex-femme qui me les a données.

- Est-ce que je peux voir votre chambre ?

- Oui, c'est à côté.

- Votre lit est très confortable !

- C'est mon ex-ex-ex-ex-femme qui me l'a donné.

- Maudit Castor !

Puis la journaliste s'en va.

Intrigué, le gars appelle son copain pour lui demander ce que ça veut dire lorsqu'une femme te traite de castor. Tout aussi ignorant, son ami lui conseille d'aller vérifier dans le dictionnaire. Il cherche et trouve : le castor est un animal qui bâtit sa maison avec sa queue.

Un homme se fait bronzer, nu sur la plage. En voyant une petite s'approcher, il prend son journal et cache son sexe. La petite fille demande :

- Qu'est-ce que tu caches avec ton journal ?

- Euh, c'est un oiseau.

La petite fille s'éloigne et l'homme retire son journal pour continuer à se faire bronzer. Il s'endort et se réveille plus tard avec une douleur insupportable au niveau de son sexe. Il se retrouve à l'hôpital et l'infirmière lui demande :

- Qu'est-ce ce qui s'est passé ?

- Je ne sais pas, je me suis endormi et en me réveillant, j'avais cette douleur atroce !

- Vous ne vous souvenez de rien de particulier avant votre sommeil ?

- Non… enfin… je me faisais bronzer nu et une petite fille s'est approchée, je me suis donc caché avec un journal et la petite fille est repartie.

Les policiers font une enquête et vont rencontrer la petite fille. Ils demandent :

- Ma petite, tu as vu aujourd'hui un homme se faire bronzer et il t'a dit qu'il cachait un oiseau avec son journal. Ensuite tu es repartie. Est-ce que tu sais ce qui est arrivé ensuite ?

- Oui, je suis passée pour voir l'oiseau et il n'était plus caché par le journal ! Alors, je l'ai caressé et j'ai joué avec. Il m'a craché au visage et j'étais fâchée, donc je lui ai tordu le cou, j'ai écrasé ses œufs et j'ai mis le feu à son nid !

836

Si l'amour est aveugle, alors il faut palper.

837

Un gars, fier de lui, ouvre sa braguette et en montre le contenu à une belle nana tout en lui disant :

- Regarde donc ce beau soldat au garde-à-vous !

- Je vois plutôt un ivrogne couché sur deux sacs de patates, lui répond la mignonne.

838

Pourquoi les hommes urinent-ils debout ?

Dieu avait presque terminé de créer l'univers, quand il s'aperçut qu'il lui restait deux articles dans son sac. Aussi, décida-t-il de les partager entre Adam et Ève. Il leur indiqua que l'un des articles restants permettrait à son propriétaire de pisser debout.

- C'est une bébelle très pratique, expliqua Dieu, et je me demandais si l'un de vous deux apprécierait de le posséder.

Adam se mit à sauter d'excitation :

- Oh, donnez-le-moi ! J'adorerais être capable de faire ça.

Ève, en souriant, dit à Dieu :

- Si Adam veut tellement l'avoir, je serais heureuse de le lui laisser.

Dieu donna donc à Adam l'article qui lui permettrait de pisser debout et qui l'excitait tant. Adam commença par viser le tronc d'un arbre pour ensuite écrire son nom dans le sable tout en riant de bonheur d'avoir autant de plaisir avec son nouveau jouet.

Dieu et Ève le regardèrent un moment, puis Dieu dit à Ève :

- Bon eh bien, tu n'as qu'à prendre l'article restant.

- Comment cela s'appelle-t-il ? demanda Ève.

- Un cerveau, répondit Dieu.

839

Comment est-ce que la plupart des hommes définissent le mariage ?
Une méthode très coûteuse pour faire laver son linge gratuitement.

840

Quelle est la définition d'un pénis ?
Une petite racine au bout d'un gros légume.

841

Pourquoi les femmes dorment-elles la bouche ouverte ?
Pour être prête à chiâler dès le lendemain matin.

843

Pourquoi les femmes enceintes doivent-elles garder la bouche ouverte
le plus souvent possible ?
Pour que le bébé ait de la lumière.

844

Savez-vous pourquoi 90 % des accidents sont causés par des hommes
en état d'ébriété ?
Parce qu'ils laissent conduire leurs femmes !

845

Un petit garçon demande à sa mère :
- Maman, est-ce qu'une ampoule électrique, ça se mange ?
- Mais non ! rétorque la mère.
- Alors, pourquoi Papa a-t-il dit à la bonne hier soir «ferme la lumière
  que je la mange» ?

846

À la maison, un petit garçon pousse la porte de la chambre de ses parents et voit son père sur sa mère en train de remuer.

Il s'écrie :

- Papa ! Qu'est-ce que tu fais ?

Embêté, le père répond :

- Tu vois, je suis en train d'essayer de te faire un petit frère avec Maman !

Le petit se met à crier :

- Arrête ! Je ne veux pas de petit frère !

Les parents s'arrêtent, mais un autre soir, ils sont surpris de nouveau par le petit, qui voit cette fois sa mère à plat ventre sur son père. Il crie :

- Maman ! Qu'est-ce que tu fais maintenant ?

Embêtée, la mère répond :

- Tu vois, je suis en train d'essayer de te faire une petite sœur avec Papa !

Le petit se met à crier :

- Arrête ! Je ne veux pas de petite sœur !

Plusieurs jours se passent sans problème, mais un jour, le gosse les surprend tous les deux à quatre pattes dans la chambre. Il se met à crier :

- Arrêtez ! Je ne veux pas de petit chien !

847

Dans un hôpital, un couple vient pour une fécondation artificielle. On prie le mari de passer dans une petite pièce pour donner du sperme. Comme, au bout d'une heure, il n'en est toujours pas sorti, une infirmière va frapper et lui demande si tout va bien.

Le type répond :

- Non, c'est la septième fois que je rate la soucoupe !

848

Une femme monte dans un autobus bondé. Elle s'approche d'un monsieur assis et lui dit :

- Pourriez-vous me laisser votre place, s'il vous plaît, je suis enceinte ?

L'homme répond :

- Oui, bien sûr.

Il se lève et lui laisse sa place, puis demande :

- Mais ça ne se voit pas du tout. Ça fait combien de temps ?

Et elle répond :

- 10 minutes. Mais ça m'a coupé les jambes !

849

Toujours le couple qui vient de se marier. Ils rejoignent la chambre nuptiale à la fin des festivités.

Le mari :

- Chérie, regarde, j'ai acheté ce magnum de champagne rien que pour nous deux. À déguster maintenant, afin de continuer les festivités...

La femme :

- Non merci, le médecin m'a conseillé de ne pas prendre d'alcool avec les somnifères...

850

Un cadre dynamique explique à son collègue de travail :

- Ma femme a enfin trouvé une job à mi-temps !

- Dans quel secteur ?

- Elle garde les enfants de notre femme de ménage !

851

Dans le café d'un petit village de campagne, il y a une belle jeune femme plutôt belle. Elle s'approche du bar avec un air enjôleur. Le cafetier se rapproche d'elle, tout naturellement. Puis, en prenant l'air le plus aguicheur qui soit, elle fait comprendre au cafetier qu'il faut qu'il approche son visage au plus près d'elle. Lorsque le gars s'est penché, elle lui caresse gentiment sa superbe barbe tout en lui disant d'une voix engageante :

- C'est vous le patron de ce café ? Elle lui caresse ensuite et tout doucement le bout des deux mains.
- Euh, en fait non...
- Vous pourriez aller le chercher ? J'ai quelque chose d'important à lui dire.

Elle lui passe la main dans les cheveux. L'homme est vraiment émoustillé, voire carrément excité. Il halète et dit dans un souffle :

- Je suis désolé, mais il n'est pas là. Je peux faire quelque chose pour vous ?
- Eh bien, oui. Vous allez lui laisser un message.

Alors qu'elle lui met ses doigts dans la bouche, laissant le gars les sucer goulûment, elle murmure :

- Vous allez lui dire qu'il n'y a plus de papier dans les toilettes.

852

Quel est le pire cauchemar d'un homme ?

1. La télévision tombe en panne le jour de la finale de la Coupe Stanley ;
2. Il doit se faire à manger lui-même ;
3. Son patron est une femme ;
4. Il doit demander de l'argent à sa femme.

853

Pourquoi les femmes portent-elles une robe blanche le jour de leurs mariages ?

Pour être en harmonie avec le frigo et la machine à laver !

854

Quelle est la différence entre une femme et un bus ?

Aucune, pas la peine de courir après, il en passe toutes les cinq minutes.

855

La veille de son mariage, la future épouse discute avec sa maman :

- Maman, je voudrais que tu m'enseignes comment on rend un homme heureux !

La mère pousse un énorme soupir, puis commence :

- Eh bien, ma chérie, quand deux personnes s'aiment, se désirent et se respectent l'une l'autre, l'amour est toujours une très belle chose...

- Je t'arrête tout de suite Maman, je sais très bien me débrouiller au lit, je voulais juste que tu m'apprennes à bien cuisiner les lasagnes.

856

Pourquoi les femmes ont-elles les pieds plus petits que les hommes ?

Pour être plus près de l'évier !

857

Mademoiselle, je lis en vous comme dans un livre.

- Peut-être monsieur, mais retirez vos mains, je ne suis pas écrite en braille !

858

Une dame accouche d'un bébé. La sage-femme regarde avec sa lampe et dit :

- J'en vois en autre, vous allez avoir des jumeaux !

En effet, un deuxième bébé sort. La sage-femme regarde encore avec sa lampe et dit :

- Madame, vous allez avoir des triplés !

En effet. Elle continue à regarder, mais la dame lui dit :

- Éteignez cette lampe, vous voyez bien que vous les attirez !

859

Une femme dit à son mari :

- Ma mère est rendue à moitié folle !

Le mari répond :

- Elle prend du mieux !

860

Un amiral servant à Québec a pris l'habitude de conduire chaque matin son petit garçon à l'école avant de rejoindre ses bureaux. Un matin, il ne résiste pas à poser à son fils une question qui lui trottait dans la tête depuis un certain temps.

- Dis donc... tes copains doivent être impressionnés de me voir comme ça, à tous les jours, en grand uniforme.

- Ça oui ! Ils croient qu'on a un chauffeur.

861

Quatre femmes vont se faire confesser.

La première dit :

- Mon père, pardonnez-moi car j'ai pêché ; j'ai vu le pénis du pharmacien.

- Ce ne pas grave, vous allez vous rincer les yeux avec l'eau bénite.

La deuxième se confesse aussi :

- Mon père, pardonnez-moi car j'ai péché ; j'ai touché le zizi du pharmacien.

- Ce n'est pas grave ma fille, vous allez vous rincer les mains avec l'eau bénite.

Alors, la troisième, voyant cela, dit au curé

- Si c'est ça, est-ce que je peux me rincer la bouche avant que ma copine se rince les fesses ?

862

Ce que femme veut, elle le met sur sa carte de crédit.

863

La femme a la passion du calcul :

Elle divise son âge par deux.

Elle double le prix de ses robes.

Elle triple les appointements de son mari.

Et elle ajoute cinq ans à l'âge de sa meilleure amie.

864

Quel est l'élément commun entre une femme sans seins et des jeans sans poches ?

Le malaise des hommes, qui ne savent pas où mettre leurs mains.

865

Si l'homme a été créé avant la femme, c'était pour lui permettre de placer quelques mots!

866

Au rayon des vêtements pour dames:

- Dites-moi, mademoiselle la vendeuse, est-ce que je peux essayer la robe dans la vitrine?
- Faites donc comme tout le monde, madame, allez dans la salle d'essayage...

867

Deux petits vieux discutent à l'hôpital:

- Dis-moi, qu'est-ce que tu préfères: faire l'amour ou les fêtes de Noël?
- Noël! Et de loin! Cela arrive bien plus souvent!

868

Quelle est le point commun entre un têtard et un homme?

Ils ont tous les deux une grande gueule et une petite queue.

869

Un vieux couple britannique fait l'amour. Soudain, le mari demande à sa femme:

- Darling, est-ce que je t'ai fait mal?
- Non Darling, pourquoi donc?
- Mais parce que tu as bougé!

870

En quoi rêve d'être réincarné tout homme ?

En aspirateur, et ce, pour trois raisons :

- On le tient sans arrêt par le manche !

- On lui vide le sac au minimum toutes les semaines !

- Et s'il marche bien, on le prête à la voisine !

871

Un gars et une fille sortent ensemble pour la première fois. Ils se disent les choses qu'on se dit normalement dans cette situation et qui aident à se connaître un peu mieux pour voir si on va conclure. Au cours de son baratin, le gars dit à la fille :

- Quand tu me connaîtras mieux, tu verras qu'en fait, j'ai deux personnalités.

La fille le regarde droit dans les yeux et lui répond :

- Toi, quand tu me connaîtras, tu verras que vous ne serez pas trop de deux pour me satisfaire.

872

Deux secrétaires travaillent dans la même boîte. Pendant la pause, l'une dit à l'autre :

- Oh dis donc, Bernard et moi, on s'est encore disputés hier soir !

L'autre :

- Ah bon, et c'était quoi le motif de la dispute, cette fois ?

- Il cherchait quelque chose dans la salle de bains et il est tombé sur ma boîte de pilules ...

- Et alors, il n'y a pas de quoi s'engueuler ?

- Oui mais, il a quand même subi une vasectomie il y a deux ans...

873

Deux gars parlent ensemble.

Le premier dit :

- Il paraîtrait qu'une coquerelle peut vivre neuf jours sans tête.

L'autre répond :

- C'est pas un record, une femme peut vivre à peu près 80 ans sans tête.

874

Deux vieux marchent dans la rue. L'un d'eux ramasse un morceau de miroir. Il le regarde, voit son visage et s'exclame :

- Hé ! La tête de ce type me dit quelque chose !

L'autre prend le miroir, le regarde à son tour et répond :

- Bah, bien sûr, puisque c'est moi !

875

On demande à un joueur de tennis :

- Vous préférez l'herbe ou le synthétique ?

- Je ne sais pas, je n'ai jamais fumé de synthétique...

876

Pourquoi les brunes inventent-elles des blagues sur les blondes ?

Parce qu'elles ne peuvent pas s'empêcher de raconter leurs vies.

877

Quelle ressemblance y a-t-il entre une soucoupe volante et une femme intelligente ?

Rien ne prouve qu'il en existe.

878

Michel se plaint qu'il doit donner 50 dollars à son épouse pour le magasinage, s'il veut jouer au golf. Quant à Guy, cela lui coûte un repas chez McDonald pour sa femme et ses quatre enfants, s'il veut jouer au golf.

- Moi, ça ne me coûte rien, dit Gilles. Au lit à six heures et demie du matin, je lui caresse le bas du dos et je l'embrasse dans le cou et soudainement, elle me donne un coup de coude et, tout en maugréant, elle me dit « N'as-tu pas une partie de golf avec tes amis ce matin ? ».

879

Le téléphone sonne au milieu de la nuit chez le docteur Frasie :

- Allô, docteur, venez vite ! C'est monsieur Valert, ma femme fait une crise d'appendicite aiguë !

- Mais c'est impossible ! J'ai moi-même opéré votre femme l'année dernière de l'appendicite, j'ai bien tout retiré... Vous savez, on n'a jamais vu une personne faire deux appendicites !

- Et quelqu'un qui se remarie, vous n'avez jamais vu ça, non plus ?

880

Un type va voir le psychiatre :

- Docteur, j'ai un problème, ma femme se prend pour moi.

Le médecin lui répond :

- Bon alors, envoyez-la-moi.

Le type répond :

- Mais, docteur, je suis là !

881

Un jeune homme vient tout juste d'obtenir son permis de conduire. Il demande donc à son père s'ils peuvent discuter ensemble de l'utilisation de la voiture familiale.

Son père l'amène dans son bureau et lui propose le marché suivant :

- Tu améliores ton rendement scolaire, tu étudies la Bible et tu te fais couper les cheveux. Ensuite, nous parlerons de la voiture.

Un mois plus tard, le garçon revient à la charge et, encore, son père l'amène dans son bureau. Le père ne tarde pas à prendre la parole.

- Mon fils, je suis très fier de toi. Ça va beaucoup mieux à l'école, tu t'es concentré sur la Bible plus que je ne l'aurais cru, mais tu ne t'es pas fait couper les cheveux.

Le jeune réplique alors :

- Tu sais, Papa, j'ai réfléchi à cela. Samson avait les cheveux longs; Moïse avait les cheveux longs ; Noé avait les cheveux longs et Jésus avait les cheveux longs.

Du tac au tac, le père réplique :

- Et ils se déplaçaient à pieds !

882

Pourquoi les pompiers portent-ils des bretelles rouges ?
C'est pour tenir leurs pantalons !

883

Un homme rentre à l'imprévu chez lui et trouve sa femme au lit avec un autre homme :

- Quoi, tu profites que j'aie le dos tourné pour me tromper avec ce type ?
- Mais ne gueule pas et regarde plutôt comment il fait !

884

Un soir, un gars rentre chez lui, complètement fru. Sa femme l'accueille et lui demande :

- Qu'est-ce qui ne va pas, mon chou ?

- Je me suis battu avec le concierge !

- Et pourquoi as-tu fait ça, mon chéri ?

- Parce qu'il m'a dit qu'il avait couché avec toutes les femmes de l'immeuble sauf une !

- Hum... Je parie que c'est cette mijaurée de madame Tremblay au troisième !

885

Un couple d'artistes de cirque présentait un numéro consistant à projeter la femme en l'air avec un canon... Le numéro marchait bien, jusqu'à ce que la femme fiche le camp avec le dompteur. Le mari déprimait et les autres artistes tentaient sans succès de le consoler.

- Vous vous rendez compte ! criait l'homme, jamais je ne retrouverai une femme de ce calibre !

886

Dans l'autobus, un type, assis en face d'une jeune femme, regarde cette dernière avec insistance. Excédée, elle lui dit :

- Monsieur, je vous en prie ! Arrêtez de me dévisager comme ça !

- Je ne dévisage pas, fait l'autre, j'envisage...

887

Un couple de paysans fête ses 20 ans de mariage. Le Jules dit à la Marie :

- Tu te souviens, il y a 20 ans, quand on a fait l'amour dans le champ et que tu t'agrippais à la barrière ? Tu sais ce qui me ferait plaisir ? C'est qu'on refasse ça.

- D'accord, dit la Marie.

Et ils vont au champ. Là, ils remettent ça passionnément. À la fin, le Jules dit à la Marie :

- Bon sang Marie, tu bouges encore plus qu'il y a 20 ans.

Elle lui répond :

- C'est que, il y a 20 ans, la barrière n'était pas électrifiée !

888

Un matin, alors qu'un couple vient de baiser toute la nuit, la femme demande :

- Chéri, tu vas me chercher des croissants ?

Le mec répond :

- Ok, combien en veux-tu ?

- Autant de fois qu'on a fait l'amour cette nuit !

Le gars va à la boulangerie, et demande :

- Je voudrais 10 croissants, s'il vous plaît.

Il prend les croissants, réfléchit puis rentre à nouveau dans la boulangerie et dit :

- Euh, finalement, ce sera neuf croissants et un pain au chocolat

889

Comment savoir si une brune passe devant un chantier de construction ?
Les gars arrêtent de siffler.

890

Le dentiste dit à son client :

- Vous avez une dent morte. Je vous fais une couronne ?

- Non merci, enterrez-la sans cérémonie.

891

Ayant emprunté l'une des côtes d'Adam, Dieu créa la première femme. Après cette deuxième création, Dieu appela la femme et lui dit :

- Ève, j'ai une bonne et une mauvaise nouvelles...

- Seigneur, donnez-moi la bonne en premier.

- Quand je t'ai créée, je t'ai faite avec deux organes importants : le cerveau et le vagin.

- Mais alors, Seigneur, quelle est la mauvaise nouvelle ?

- Tu disposes de suffisamment de sang pour faire fonctionner les deux. Mais comme le premier ne t'est d'aucune utilité, le deuxième éliminera l'excédent tous les mois !

892

- Trois comptables se retrouvent dans un bar à la sortie d'un congrès. Ils boivent une mousse chacun puis vont pisser tous ensemble.

Le premier se secoue, va se laver les mains puis se les sèche longuement avec force.

- Dans ma boîte on nous apprend à être méticuleux ! dit-il.

Le second se lave les mains et se les sèche minutieusement avec toute la surface utile d'une seule serviette.

- Dans ma boîte, on nous apprend à être méticuleux, et efficaces aussi.

Le troisième sort sans se laver les mains.

- Dans ma boîte, on nous apprend à ne pas nous pisser dessus !

893

Un gardien de prison fait sa ronde et interpelle un détenu.

Il lui demande :

- Hé vous ! Vous avez pris une douche ?

Le prisonnier répond :

- Non pourquoi, il en manque une ?

894

Lors d'un vol, le pilote prend le micro et dit :

- Mesdames et messieurs, l'équipage vous souhaite la bienvenue à bord. Nous atterrirons à Atlanta vers 18 heures. La température extérieure est de -41 degrés, nous volons à une altitude de 10 300 mètres et notre vitesse est actuellement de 900 kilomètres par heure ; nous vous souhaitons un bon vol.

Puis, en oubliant de débrancher son micro, il s'adresse à son copilote et dit :

- Maintenant, je vais aller chier et ensuite, j'irai tringler l'hôtesse derrière la cabine.

Du fond de l'appareil, une hôtesse fonce vers la cabine de pilotage C'est alors qu'un passager l'arrête et lui dit :

- Vous n'avez pas besoin de courir, il a dit qu'il allait chier d'abord.

895

- Je ne peux plus supporter le caractère de mon mari, avoue Rachel à son amie. Ses scènes perpétuelles me rendent folle… Je maigris un peu plus tous les jours…

- Mais alors, pourquoi ne pas le quitter ?

- Oh, ça viendra ! J'attends simplement d'arriver à 50 kilogrammes !

896

Sherlock Holmes et son assistant, le docteur Watson, font du camping. Au milieu de la nuit, Sherlock Holmes réveille son comparse et lui demande :

- Watson, regardez vers le ciel et dites-moi ce que vous en déduisez.

- Je vois des millions d'étoiles. S'il y a des millions d'étoiles, et si certaines d'entres elles sont entourées de planètes, il est probable qu'il y ait des planètes qui ressemblent à la Terre. Et si tel est le cas, il pourrait y avoir de la vie sur l'une de ces planètes.

- Watson, vous êtes idiot ! On a volé notre tente !

897

Deux chasseurs se trouvent en forêt lorsque l'un des deux s'effondre. Il semble avoir cessé de respirer et ses yeux sont vitreux. Son camarade paniqué appelle les services d'urgence :

- Mon ami est mort ! Qu'est-ce que je peux faire ?

L'opérateur répond tranquillement :

- Calmez-vous. Je peux vous aider. D'abord, assurons-nous qu'il est mort.

Un moment de silence, suivi d'un coup de feu.

Le chasseur reprend le combiné :

- C'est bon, et maintenant ?

898

Dans le quartier chic de la ville, un clochard s'avance vers une femme distinguée qui fait du lèche-vitrine. Le clochard lui dit d'un air implorant :

- Je n'ai pas mangé depuis quatre jours !

La dame le regarde et lui dit :

- Mon Dieu ! Si seulement j'avais votre volonté.

899

Un promeneur se balade aux abords d'une ferme. Soudain, il aperçoit un poussin plein de merde. Il le regarde avec étonnement puis continue son chemin. Quelques mètres plus loin, il aperçoit un autre poussin, lui aussi, couvert de merde. Intrigué, le promeneur poursuit sa route et aperçoit encore de nombreux poussins, tous couverts de merde. De plus en plus intrigué, il arrive près de la ferme. À ce moment, la porte de la ferme s'ouvre et le fermier apparaît dans l'encadrement de la porte. Voyant l'air abasourdi du promeneur, il lui demande :

- Vous n'auriez pas du papier de toilettes, je n'ai plus de poussins !

900

Thierry et une femme se rencontrent dans un bar. Ils discutent un peu puis, comme cela arrive dans la vie, ils décident d'aller à la maison de la femme. Après quelques verres, Thierry enlève sa chemise et se lave les mains. Ensuite, il enlève le pantalon et à nouveau, il se lave les mains. La femme qui a regardé tout ce rituel lui dit :

- Je parie que tu es dentiste.

Lui, très étonné, répond :

- Oui... mais comment as-tu deviné ?

- C'est simple, répond-elle, tu ne fais que te laver les mains.

Après qu'ils aient fait l'amour, elle ajoute :

- Tu dois être un sacrément bon dentiste.

Lui, rayonnant après un tel compliment fait à son égo, répond :

- Bien sûr que je suis un excellent dentiste, comment as-tu su cela ?

Elle, avec un visage imperturbable :

- Je n'ai rien senti !

901

Comment appelle-t-on une brune dans une salle pleine de blondes ?
La femme invisible.

902

Un couple va consulter un sexologue pour améliorer leur vie sexuelle.
Après examen et longue discussion, le sexologue dit aux époux :
- En rentrant chez vous, arrêtez-vous dans une épicerie et achetez
  des raisins et des beignes. Une fois chez vous, enlevez vos vêtements ;
  vous, madame, asseyez-vous par terre les jambes écartées et vous,
  monsieur, amusez-vous à faire rouler les raisins par terre en visant
  le sexe de votre femme puis, à quatre pattes, vous irez rechercher
  ces raisins en utilisant seulement votre langue. Quant à vous,
  madame, vous prendrez les beignes, vous viserez le pénis en érection
  de votre mari puis, à quatre pattes, vous irez consommer votre beigne
  sur place !
Le couple suit la méthode à la lettre et réussit ainsi à retrouver une
vie sexuelle attrayante. Ils en discutent avec des amis, et ces derniers
veulent, eux aussi, consulter le sexologue. Ils vont donc voir le docteur,
mais cette fois-ci, le sexologue leur dit :
- En rentrant chez vous, passez à l'épicerie et achetez des pommes
  et une boîte de Cheerios.

903

Quelles sont les trois raisons principales qui poussent les instituteurs
à exercer ce métier ?
Décembre, juillet et août.

904

Le lieutenant interroge l'un de ses soldats :

- Si tu as 10 hommes en face de toi, que fais-tu ?

- Je prends ma mitraillette et je les tue tous.

- Bien, et si tu as 50 hommes devant toi ?

- Je lance une grenade.

- Bien et maintenant, si tu as 100 hommes devant toi ?

Le gars lui répond :

- Je suis tout seul dans cette maudite armée-là !

905

Quelle est la différence entre une queue de vache et une cravate ?

La queue de vache, elle, elle cache le trou de cul au complet.

906

Il faisait si froid la semaine dernière, que j'ai vu des avocats avec les mains dans leurs propres poches.

907

Une prof d'université rappelle à sa classe que le lendemain, aura lieu l'examen de fin d'année. Elle précise qu'elle n'acceptera aucune excuse d'absence, en dehors d'une sévère blessure, d'une grave maladie ou d'un décès dans la famille très proche. Au fond de l'auditoire, un jeune rigolo lui demande alors :

- Et en cas de très grande fatigue pour activité sexuelle débordante ?

Tout l'auditoire éclate de rire... Quand le silence est enfin rétabli, la prof sourit à l'étudiant, secoue la tête et lui dit doucement :

- Vous pourrez écrire avec l'autre main...

908

Deux spermatozoïdes se promènent. L'un dit à l'autre :

- Oh, je suis crevé, je n'en peux plus, j'espère qu'on est bientôt proche de l'ovule.

L'autre lui répond :

- Je ne voudrais pas te décevoir, mais on vient juste de passer les amygdales.

909

Un homme entre dans un taxi et demande au chauffeur :

- Conduisez-moi à l'hôtel de ville

Aussitôt, le taxi se met en route puis, une fois arrivé à un feu rouge, il accélère et passe en trombe devant les autres autos.

- Vous êtes fou ! dit l'homme. Où avez-vous appris à conduire comme cela ?

- Dans ma famille, répond le chauffeur, on conduit tous comme ça.

Tout en disant ces mots, le taxi arrive à un autre feu rouge. Encore une fois, le chauffeur accélère et passe devant les autres autos, produisant ainsi des accidents monstres derrière lui.

L'homme crie :

- Mais vous allez nous tuer !

À cet instant, le taxi arrive à un feu vert et le chauffeur, au lieu de passer, freine brutalement.

- Vous êtes complètement dingue, dit l'homme. Vous passez lorsque le feu est rouge mais s'il est vert, alors vous stoppez.

- Bien sûr, dit le chauffeur. Je ne veux pas prendre de risque. Mon père pourrait passer.

910

Un automobiliste a écrasé un poulet et le rapporte à la ferme voisine en disant :

- C'est à vous, ce poulet ?
- Non ! Les nôtres ne sont pas aussi plats !

911

Quel est le point commun entre un gynécologue myope et un chien en bonne santé ?

Ils ont tous les deux le nez mouillé.

912

Une secrétaire se plaint à son patron :

- Mon salaire n'est pas en rapport avec mes capacités !
- Mais, mademoiselle, je ne vais tout de même pas vous laisser mourir de faim !

913

C'est quoi la différence entre un jeune et un vieil homo ?

Le vieux, il peut s'asseoir sur un petit suisse sans l'écraser.

914

Une jeune secrétaire est arrêtée 15 jours pour une appendicite aiguë. Une de ses collègues va la voir à l'hôpital pour prendre et lui donner des nouvelles.

- Comment ça va, au bureau, demande la malade.
- Bah, tout le monde y met un peu du sien pour te remplacer... Sylvie fait le café, Monique lit tes magazines et Marie-Claude suce le patron.

915

Pierre arrive à la mairie et dit :

- Bonjour, je viens déclarer la naissance de mon fils. Il est né hier...
- Oui, quel est son prénom ? lui demande le fonctionnaire de l'état civil.
- David.

Pierre demande :

- Combien je vous dois ?
- Mais monsieur, il n'y a rien à payer.
- C'est super... à ce prix-là, je vais pouvoir déclarer les trois autres aussi !

916

Une petite fille part à l'école le matin avec son petit chat dans les bras. Son frère lui dit que c'est interdit et qu'elle va se faire punir, mais elle refuse de laisser l'animal. Le chauffeur du bus lui rappelle la même chose, mais elle refuse toujours de lâcher l'animal. Arrivée à l'école, la maîtresse surprend la petite fille et la gronde, mais même à ce moment, elle refuse de laisser l'animal. La maîtresse lui demande alors pourquoi, elle insiste... Et finalement, la petite fille dit :

- Ce matin, quand je suis sortie de la salle de bains, j'ai entendu Papa dire à Maman, «dès que la petite est partie à l'école, je te mange la chatte».

917

Un chef dit à son employé :

- C'est la quatrième fois que vous arrivez en retard cette semaine, que dois-je en déduire ?
- Que nous sommes jeudi ?

918

Mamie, proche de la mort, est dans son lit. Papy est à ses côtés. Mamie lui demande :

- Va dans le grenier, au fond à gauche, tu trouveras une boîte.

Papy monte au grenier, et y découvre, sous la paille, une petite boîte dans laquelle il y a trois œufs et 150 000 dollars !

Il retourne auprès de Mamie sur son lit de mort, et lui demande :

- C'est quoi, ces trois œufs ?

Mamie lui répond :

- Chaque fois que je n'avais pas d'orgasme avec toi, pendant ces 50 ans d'amour, je mettais un œuf dans cette boîte.

Papy, très fier de n'y trouver que trois œufs en 50 ans d'amour, demande alors :

- Et les 150 000 dollars ?

Mamie lui répond :

- Chaque fois que j'avais une douzaine d'œufs, j'allais les vendre au marché !

919

Deux jeunes starlettes bavardent entre elles :

- Ce soir, mon chou, je ne peux pas sortir avec toi ! Figure-toi qu'un richissime producteur m'a proposé de m'emmener faire un tour en mer sur son magnifique yacht puis, dans un mois, faire une croisière chez lui, en Corse.

Le lendemain, elles se rencontrent :

- Alors, demande l'amie, raconte !

- Ah, soupire l'autre, ne m'en parle pas ! Non seulement il m'a trompée sur la dimension du bateau, mais en plus il m'a fait ramer !

920

Sur un chantier en pleine campagne, une délégation ministérielle arrive pour voir l'avancée des travaux. Cinq hommes sont assis çà et là au bord de la route, ou allongés sur l'herbe, et seul un homme, debout au milieu d'une tranchée, armé d'une pelle, travaille sans relâche.

Le responsable du ministère les appellent, ils se mettent tous en rang et il les interroge :

- Tu fais quoi ?

Le premier :

- Je suis chef d'équipe.

Le deuxième :

- Je suis chef d'équipe.

Le troisième :

- Je suis chef d'équipe.

La même chose jusqu'au sixième qui lui dit :

- Moi, je suis l'équipe !

921

Une nana sort avec un mec pour la première fois. Elle lui dit :

- Tu sais, ma mère m'a fait JURER de répondre «non» à toutes tes demandes...

- Ah, dans ce cas... ça te dérange si on couche ensemble ?

922

Un homme tombe de son lit en dormant, se relève et se recouche.

20 minutes après, il retombe et heureux, il se dit :

- Ouf, si je ne m'étais pas relevé tout à l'heure, je me serais tombé dessus !

923

Sur un chantier en pleine campagne, une délégation ministérielle arrive pour voir l'avancée des travaux. Cinq hommes sont assis çà et là au bord de la route, ou allongés sur l'herbe, et seul un homme, debout au milieu d'une tranchée, armé d'une pelle, travaille sans relâche.

Le responsable du ministère les appellent, ils se mettent tous en rang et il les interroge :

- Tu fais quoi ?

Le premier :

- Je suis chef d'équipe.

Le deuxième :

- Je suis chef d'équipe.

Le troisième :

- Je suis chef d'équipe.

La même chose jusqu'au sixième qui lui dit :

- Moi, je suis l'équipe !

924

Une blonde fait le concours des blagues : il faut monter 100 marches et à chaque marche, un homme dit une blague à laquelle il ne faut pas rigoler, ou on perd. À la première marche, la blonde ne rigole pas. Donc, elle monte la deuxième, puis la troisième, puis la quatrième, et ainsi de suite.

Elle arrive à la marche 99 et se met à rigoler.

L'homme lui dit :

- Je n'ai même pas dit la blague

Et elle lui répond :

- Je viens juste de comprendre la première.

Madame est à bout, son époux ne rentre jamais avant minuit ou une heure du matin et de plus, il est toujours complètement saoul. Elle décide de prendre les choses en main et discute avec son mari :

- Voilà, à partir de demain, tu viens directement à la maison en sortant du travail, tu ne seras pas déçu !

Le lendemain à 18 heures, il est à la maison : relooking total du salon, super déco, lumière tamisée, petites tables, musique discrète et surtout bouteilles et verres scintillants. Tout se passe bien quand, à minuit, l'homme se lève péniblement, mets sa veste et se dirige vers la sortie. Sa femme ne fait qu'un bond et lui dit :

- Mais tu vas où ?

Et lui de répondre :

- Excusez-moi, mais j'ai des principes moi, madame, je rentre chez moi, je ne dors jamais dans un bar.

926

Deux femmes discutent de leur vie de couple.

La première dit à la seconde :

- Cette fois-ci, c'est décidé, je vais demander le divorce !
- Mais pourquoi ? demande l'autre.
- J'ai vu mon mari aller au cinéma avec une autre femme !
- Et tu sais qui était cette femme ?
- Non, je ne l'avais jamais vue auparavant.
- Et tu n'as pas pensé un seul instant qu'il pouvait y avoir une explication autre que celle à laquelle tu penses ? Pourquoi ne les as-tu pas suivis dans le cinéma pour savoir ?
- Je ne pouvais pas, mon amant avait déjà vu le film !

927

Au théâtre, deux spectateurs vont aux toilettes pendant l'entracte.

L'un d'eux entame la conversation :

- Quelle belle pièce !

- Je vous en prie, monsieur, regardez devant vous !

928

Marie-Thérèse et Pierre ont été mariés pendant plusieurs années, même s'ils se haïssaient véritablement. Lorsqu'ils avaient une confrontation, les voisins pouvaient les entendre crier et se disputer pendant des heures. Pierre disait souvent en criant :

- Quand je mourrai et que je serai enterré, je peux te dire que je me débrouillerai pour creuser et sortir du cercueil pour venir te hanter jusqu'à la fin de tes jours !

Les voisins avaient peur de lui. Ils le soupçonnaient de faire de la magie noire car des choses étranges avaient lieu dans le voisinage. De fait, Pierre se plaisait à faire peur au voisinage et tout le monde fut soulagé lorsqu'il mourut d'une attaque cardiaque à l'âge de 98 ans.

Dès que la cérémonie d'enterrement fut terminée, Marie-Thérèse est immédiatement allée dans un bar local pour célébrer cette mort comme si demain n'existait pas !

Ses voisins, qui étaient soucieux de sa sécurité, l'ont rejointe au bar et lui ont demandé :

- N'as-tu pas peur que Pierre réussisse à creuser un trou dans le cercueil et qu'il revienne te hanter jusqu'à la fin de tes jours ?

Marie-Thérèse posa son verre et dis :

- Laissons le creuser. Aucun problème... je l'ai fait enterrer à l'envers, allongé sur le ventre !

929

Un alpiniste, dont la corde vient de céder, s'accroche in extremis à une paroi verglacée. Sentant ses doigts glisser, il demande :

- Il y a quelqu'un ?

Une voix profonde lui répond :

- C'est moi, Dieu ! Si tu crois en moi, lâche tes deux mains, un ange te rattrapera.

L'alpiniste réfléchit longuement, puis demande :

- Il n'y aurait pas quelqu'un d'autre ?

930

Comment Pinocchio s'est il aperçu qu'il était en bois ?

La première fois qu'il s'est masturbé, il a pris feu.

931

Comment guérir un homme de son obsession sexuelle ?

En l'épousant.

932

Un homme est en consultation à l'hôpital. Le médecin lui apprend qu'il n'a plus que 12 heures à vivre. L'homme rentre chez lui et annonce la nouvelle à sa femme.

Ensuite, il ajoute :

- Voici ce que j'aimerais faire pendant ces 12 heures. D'abord un bon dîner, ensuite aller boire et danser tout le reste de la nuit !

Sa femme lui répond alors :

- Oh là, là, c'est facile pour toi... On voit bien que tu n'as pas à te lever demain matin !

933

Un jour à l'école, la maîtresse un peu raciste explique au jeune Mohamed :

- À partir d'aujourd'hui tu t'appelleras Jean-Pierre, car nous sommes en France !

Le soir même Mohamed rentre chez lui et sa mère l'appelle par son prénom, mais Mohamed répond :

- Je m'appelle Jean-Pierre maintenant.

À peine a-t-il fini sa phrase que le pauvre petit se prend une baffe. Quand son père rentre, il raconte la même chose et s'en reprend une.

Le lendemain, de retour à l'école, la maîtresse en voyant son œil au beurre noir lui demande :

- Que t'est-il donc arrivé ?

Le jeune Mohamed répond :

- Voilà deux heures que j'étais Français et je me faisais déjà taper par des Arabes !

934

Un ouvrier tombe de son échafaudage et s'écrase au beau milieu de la rue. Un attroupement se forme. Un policier s'amène et bouscule tout le monde en criant :

- Qu'est-ce qui se passe ?

- Je ne sais pas, dit l'ouvrier en ouvrant un œil, je viens juste d'arriver.

935

Pour qu'on reconnaisse la moitié de la valeur d'une femme, il faut qu'elle fasse le double de bien qu'un homme. Heureusement, ce n'est pas compliqué.

936

Comment s'appelle le tissu gras situé à la base du pénis ?
Un homme.

937

Les bêtes suent.
Les hommes transpirent.
Et les femmes se contentent d'avoir chaud.

938

Combien de mecs ça prend pour changer un rouleau de papier de toilettes ?
Personne ne sait... Ça n'est jamais arrivé.

939

Un cardiologue renommé est invité à une réception avec sa femme. Dans le courant de la soirée, il a une conversation à bâtons rompus avec une très jolie jeune fille, portant beaucoup de maquillage et très peu de vêtements.
Au cours de la conversation, le médecin se rend compte que sa femme l'observe et que ses yeux lui lancent des éclairs.
Éclaircissant sa gorge, le docteur dit à sa femme :
- Ah, chérie, cette jeune femme et moi avons eu une conversation purement professionnelle !
Et sa femme lui répond, sur un ton glacial :
- J'imagine, oui !
Et elle ajoute :
- Mais c'était de ta profession ou de la sienne dont vous parliez ?

940

Quel est le nerf le plus long du corps chez l'homme ?
Le nerf optique, car quand on lui tire un poil du cul, il en a les larmes aux yeux.

941

Un couple cherche un appartement. Mais tout ce qu'on lui propose dépasse ses possibilités. Et un beau jour, miracle, l'agent immobilier l'emmène visiter un magnifique appartement et lui annonce un prix qui est la moitié de ce qu'il devrait valoir.

Le mari et la femme sont prêts à signer lorsque le vendeur leur dit :
- Je dois vous dire la raison du prix exceptionnel de cet appartement. Le premier qui l'a acheté a vu mourir sa femme dans le mois qui a suivi. Effondré, il a revendu l'appartement sous son prix d'achat. La femme du second acheteur est également morte dans le mois qui a suivi l'achat, et il l'a revendu immédiatement sous son prix d'achat et ainsi six fois de suite.

Le client potentiel regarde sa femme et dit :
- Tant pis, je prends le risque.

942

Mesdames, comment appelez-vous un gars qui met ses instruments dans votre bouche ?
Un dentiste.

943

Pourquoi les femmes finissent-elles toutes ménopausées ?
Pour garder du sang pour les varices.

944

La définition d'un psychanalyste :

Quelqu'un qui vous pose beaucoup de questions très très chères que, de toute manière, votre femme vous aurait posées pour rien.

945

Pourquoi est-ce bien qu'il y ait des femmes astronautes ?

Parce que si l'équipage se perdait dans l'espace, au moins elles, elles, demanderaient leur chemin.

946

Un blanc rentre dans un bistrot. Il demande à la serveuse une bière et va s'asseoir à une table. Sur la table, il y a des traits et il demande à la serveuse ce que c'est.

Elle lui répond :

- C'est une bande de Noirs qui sont venus hier soir et ils ont mesuré la taille de leurs sexes avec des traits.

L'homme, intrigué, sort son sexe et remarque qu'il dépasse tous les traits. Il s'exclame :

- Madame, regardez, je les bats !

Et la femme lui répond :

- Mais monsieur, ils étaient de l'autre côté de la table...

947

Un automobiliste saoul vient de frapper une énorme bonne femme. La foule se ramasse sur le lieu de l'accident et quelqu'un dit :

- Bon Dieu, vous auriez pu essayer de faire le tour, non ?

- Je n'étais pas certain d'avoir assez d'essence !

948

Une dame, voulant se marier pour la quatrième fois, va s'acheter une robe de mariée. La vendeuse lui rappelle qu'elle ne peut pas porter une robe blanche, puisqu'elle s'est déjà mariée trois fois.

Elle répond :

- Bien sûr que je peux, je suis toujours vierge !

- La vendeuse lui répond :

- Impossible !

Et la dame dit :

- Eh non, c'est vrai. Mon premier mari était psychologue, et tout ce qu'il voulait, c'était d'en parler. Le second était gynécologue, et il ne voulait que regarder. Et le troisième, ah le troisième... il était philatéliste... ah mon Dieu, comme il me manque !

949

C'est grave docteur ?

- J'ai une mauvaise nouvelle pour vous, vous avez un cancer.

- On peut le guérir ?

- J'ai bien peur que non...

- Aie aie aie ! Que dois-je faire docteur ?

- Essayez les bains de boue !

- Ça va guérir mon cancer ?

- Non, mais ça vous habituera à la terre...

950

Quelles sont les deux expressions qu'une future épouse doit connaître ?
« Je m'excuse » et « Tu avais raison ».

951

Qu'est-ce qui fait ses huit heures par jour dans l'administration ?
La machine à café.

952

Un gars est à la caisse d'un supermarché, quand il remarque qu'une petite blonde canon lui fait signe de la main et lui sourit. Il s'adresse à elle et dit gentiment :

- Excusez-moi, est-ce que je vous connais ?

Elle répond en souriant :

- Je peux me tromper, mais je pense que vous êtes le père d'un de mes enfants...

Les souvenirs du gars le renvoient vers la seule et unique fois où il a été infidèle, et il demande :

- Nom d'un chien, ce serait vous la strip-teaseuse que j'ai niquée sur la table de billard devant tous mes potes lors d'une soirée bien arrosée, pendant que votre amie me flagellait avec un céleri mouillé et me poussait un concombre dans les fesses ?

- Euh, non, répond-elle, je suis la nouvelle institutrice de votre fils !

953

Pourquoi les femmes célibataires ne pètent-elles pas ?
Parce qu'en général, tant qu'elles ne sont pas mariées, les femmes n'ont pas de trou du cul.

954

On a enfin la preuve que la femme est plus avancée que l'homme :
Pour se masturber, l'homme est très manuel, tandis que la femme est
déjà digitale !

955

Une femme dit à son docteur :
- Docteur, je semble avoir des brûlures d'estomac chaque fois que
  je mange un gâteau d'anniversaire !
Celui-ci lui répond :
- Avez-vous essayé de retirer les bougies ?

956

Dans une petite ville, un homme de 80 ans et sa jeune épouse arrivent
à l'hôpital pour son premier accouchement. L'infirmière est stupéfaite :
- C'est incroyable ! Comment faites-vous à votre âge ?
Il répond :
- Il faut garder le moteur en marche, voyez vous !
L'année suivante, la même infirmière assiste au deuxième accouchement.
- Mais, c'est incroyable ! Mais, bon sang, comment avez-vous fait ?
Et il répond encore :
- Il faut garder le moteur en marche...
La même chose arrive pour un troisième bébé :
- Seigneur, je n'en reviens toujours pas ! Encore une fois !
Il répond toujours :
- Eh oui, il faut garder le moteur en marche !
L'infirmière lui répond :
- Mais là, vous devriez changer l'huile parce que celui-là est noir !

957

Deux fous veulent s'évader d'un asile. L'un des deux dit à l'autre :

- Va voir le portail : si le portail est haut, alors on passe en dessous. S'il est bas, alors on passe au-dessus.

L'autre va voir et revient :

- Désolé, on ne peut pas s'évader, il n'y a pas de portail !

958

David est convoqué au poste de police.

- Vous avez été contrôlé sur l'A40 sans permis de conduire. Nos services nous indiquent qu'on vous a retiré ce permis voilà huit ans mais on vous a retrouvé sur la route au volant d'une voiture neuve !

- Je sais, j'ai honte, mais j'ai craqué ! Plus de huit ans avec l'ancienne, je n'en pouvais plus !

959

Deux gars discutent au bureau. Ils parlent de la nouvelle secrétaire qui vient d'être embauchée.

Roger s'adresse à Robert :

- Oh, dis donc ! Hier, alors que ma femme me croyait au match de hockey avec les copains, je l'ai invitée à souper et ensuite on est allés à l'hôtel. Eh bien, je peux te dire qu'elle fait vachement mieux l'amour que ma femme !

Deux jours plus tard, Robert s'adresse à Roger :

- À propos de la nouvelle secrétaire, hier moi aussi, je suis sorti avec elle. On a été à l'hôtel ensuite et, à mon avis, elle ne fait pas vraiment mieux l'amour que ta femme !

960

Dans un restaurant :

- Garçon ! Est-ce que vous servez des nouilles ?

- Bien sûr monsieur, ici on sert tout le monde.

961

Elle : Chéri, le robinet fuit ! Change le joint !

Lui : Pas le temps, et je ne suis pas plombier !

LE LENDEMAIN

Elle : Tu penses au robinet qui fuit ?

Lui : Pas ce soir, et je ne suis pas plombier !

LE SURLENDEMAIN

Lui : Tiens, le robinet ne fuit plus ?

Elle : Non, le voisin est venu le réparer.

Lui : Ah, et il t'a demandé quoi pour le service ?

Elle : Que je lui fasse un gâteau ou une gâterie.

Lui : Ah, et tu lui as fait quoi ?

Elle : Une gâterie.

Lui : Espèce d'agace-pissette… tu ne pouvais pas plutôt lui faire un gâteau !

Elle : Je ne suis pas pâtissière, moi !

962

Quelle est la différence entre une mini-jupe et un bon discours ?

Il n'y en a pas... ça doit être assez court pour conserver l'attention mais assez long pour couvrir l'essentiel.

963

Les femmes, on commence par les avoir dans les bras, ensuite on les a sur les bras, et on finit par les avoir sur le dos !

964

Après une partie de tennis, deux mecs prennent une douche.

Robert, l'un des mecs, dit à l'autre :

- Oh, dis donc Rocco, t'en as une grosse zigounette, toi !

Alors Rocco répond :

- Ouais... c'est facile, depuis plusieurs mois, avant de me coucher, je me la prends et je la tape deux ou trois grands coups sur la table de chevet et maintenant tu vois, elle est devenue superbe.

Robert retient la leçon et le soir même, il va se coucher en y pensant, il rentre dans la chambre où la lumière est déjà éteinte, se déshabille dans le noir et frappe deux grands coups de zigounette dans la table de chevet.

À ce moment, il entend sa femme dire :

- Ah, c'est toi Rocco ?

965

Qu'est-ce qui manque le plus à une brune pour participer à un super party ?

L'invitation.

966

Un gars va voir un médecin. Le patient dit au docteur :

- Docteur, j'ai un problème, partout où je me touche, je ressens une douleur.

Le docteur l'examine et lui dit :

- J'ai trouvé ! Vous avez le doigt cassé !

967

C'est l'histoire d'un petit garçon qui se réveille souvent la nuit pour aller aux cabinets. Une nuit, alors qu'il longe le couloir, il entend des bruits venant de la chambre de sa mère. Curieux, il regarde par le trou de la serrure et il voit sa mère toute nue, couchée sur le dos sur son lit. La mère se caresse partout sur le corps en murmurant et en gémissant :

- Je veux un homme, je veux un homme... J'ai besoin d'un homme !

Très gêné, le garçon court se recoucher, et ne dit rien à personne.

La nuit suivante il va encore aux cabinets et de nouveau, il entend des bruits, mais différents cette fois. Il regarde par la serrure, et voit sa mère au lit avec un grand gaillard, en train de... vous savez très bien ! Encore une fois, il se recouche sans se faire remarquer. La troisième nuit, c'est au tour de la mère de devoir aller aux cabinets la nuit. Elle entend des bruits venant de la chambre du garçon et intriguée, elle entrouvre la porte et elle voit le garçon couché nu sur son lit. Il se caresse la poitrine et murmure :

- Je veux un vélo, je veux un vélo... J'ai besoin d'un vélo !

968

Quelle est la ressemblance entre un homme et un avion ?
Aucune : pour les deux, c'est la queue qui dirige.

969

Un petit garçon et une petite fille sont dans le même lit.

Le petit garçon :

- Dis, tu sais quelle est la différence entre un petit garçon et une petite fille ?

La petite fille :

- Non, c'est quoi, dis ?

Le petit garçon soulève les couvertures et dit :

- Ben regarde, c'est simple, toi tu as un pyjama rose et moi, un bleu.

970

À la maternité, une jeune maman ayant tout juste accouché, sort de son lit en robe de chambre et se dirige vers le bureau des infirmières où elle demande un annuaire téléphonique.

- Qu'est-ce que vous faites ici ? Vous devriez être dans votre chambre en train de vous reposer, dit le médecin-accoucheur qui passait par là.

- Je voulais juste trouver un nom dans l'annuaire pour mon bébé.

- Mais enfin, vous n'avez pas à faire ça. Lorsque vous êtes arrivée, l'hôpital vous a bien fourni un petit livre pour vous aider à choisir un prénom pour votre enfant ?

- Vous ne comprenez pas... j'ai déjà trouvé le prénom !

971

Un dirigeant d'entreprise explique à son ami :

- La crise ? Pff, c'est pire que le divorce. J'ai perdu la moitié de mes biens et j'ai toujours ma femme !

972

Un général inspecte différents régiments. Il arrive devant celui des fantassins.

- Soldat ! À quoi sert ce fusil ? hurle le général.

- À fusiller, mon général !

Le général est un tantinet fier, et continue sa ronde. Il passe devant l'artillerie lourde.

- Soldat ! À quoi sert ce canon ?

- À canonner, mon général !

Il déboule devant le régiment des chars, où se trouvent par hasard quelques simplets…

- Soldat ! À quoi sert ce tank ?

- À tankuler, mon général.

973

Qu'est-ce qui pèse :

- 500 livres le matin,

- 200 livres le midi,

- et 10 livres le soir ?

UN MARI !

Sa femme, le matin, lui dit «Lève-toi mon gros !»
Le midi, elle lui dit «Viens manger mon cochon !»
Et le soir au coucher : «Viens te coucher mon lapin !»

974

Les hommes importants pour une femme sont :

LE MÉDECIN, parce qu'il dit :

- Enlevez vos vêtements !

LE DENTISTE, parce qu'il dit :

- Ouvrez bien grand !

LE LIVREUR, parce qu'il dit :

- Je vous la mets devant ou derrière ?

LE DÉCORATEUR, parce qu'il dit :

- Une fois dedans, vous allez l'adorer.

L'AGENT DE CHANGE, parce qu'il dit :

- Ca va grimper, fluctuer, et redescendre lentement.

LE BANQUIER, parce qu'il dit :

- Si vous retirez trop vite, vous allez perdre tout l'intérêt.

LE RÉPARATEUR INTERNET, parce qu'il dit :

- Vous voulez ça sur la table ou contre le mur ?

975

Midi moins 10, c'est l'heure de passer à table. Un homme arrive dans un resto, le serveur le place à une table et lui demande d'attendre. À côté de lui, un homme lit son journal, à table, devant une appétissante assiette de spaghettis. Notre client a vraiment très faim et au bout de quelques minutes, il n'en peut plus : il tire discrètement l'assiette de son voisin et commence à manger. Arrivé à la fin de son repas, il voit au fond de l'assiette un peigne gras plein de pellicules, absolument immonde... et il vomit ses spaghettis dans l'assiette. À ce moment, son voisin plie son journal et lui dit :

- Vous aussi, vous avez trouvé le peigne ?

976

Comment éviter la querelle de couple ?

Après plusieurs années de recherche, les laboratoires Pfizer annoncent l'arrivée en pharmacie de deux nouveaux médicaments qui atténuent les conflits de couple, tout en occasionnant très peu d'effets secondaires.

1. DICOMEL = Dis comme elle...

2. LIPIDOR = Lis, pis, dors.

Il y a aussi des génériques, tels que :

1. FACOMMEL,

2. PENSCOMMEL,

3. PIFERMLA.

977

Quelle est l'expression préférée des dentistes ?

Que Dieu vous prothèse.

978

Comment dit-on un « 69 » en arabe ?

Tatouf métouf.

979

Un type rentre chez lui un soir après la tournée des bistrots.

Sa femme est déjà au lit mais ne dort pas.

À un moment, elle entend un grand bruit dans l'escalier et demande :

- Qu'est-ce qui se passe ?

- Mon veston est tombé !

- Mais ça ne fait pas autant de bruit !

- C'est parce que j'étais encore dedans.

980

- Chérie, je voudrais te demander quelque chose qui me turlupine depuis des années. Quand nous nous disputons, hélas, et que je te fais enrager, tu ne t'énerves jamais ; tu t'en vas simplement aux toilettes... et je t'entends chanter ! Mais comment fais-tu pour gérer ainsi tes émotions ?

- C'est simple, je lave la cuvette des toilettes.

- Je ne suis pas sûr de bien comprendre... Comment cela peut-il t'aider ?

Sa femme répond :

- C'est parce que j'utilise ta brosse à dents...

981

Une jeune fille va se confesser.

- Mon père, j'ai failli commettre un horrible pêché !

- Je vous écoute, ma fille...

- Hier après-midi, j'ai invité mon chum chez nous et il n'y avait personne.

- Oui ?

- Il a commencé par me caresser les cheveux.

- Ensuite ? Continuez, ne vous arrêtez pas.

- Il m'a embrassée, il m'a portée jusqu'à mon lit, il m'a caressé les jambes, il a soulevé ma jupe, enlevé son pantalon, son slip et ma culotte.

- Et après ?

- Eh bien, ma mère est arrivée...

- Et merde !

982

Que faire si votre petite amie commence à fumer ?
Ralentissez la cadence et utilisez un gel lubrifiant.

Un jeune homme raccompagne sa fiancée.

- Chérie, me ferais-tu une gâterie?

Horrifiée, elle répond :

- Es-tu malade? Mes parents pourraient nous voir!

- Oh, allez! Qui va nous voir à cette heure? demande-t-il d'une voix
  haletante.

- Non, s'il te plaît… imagines-tu si on se fait prendre? La fille du juge
  local se doit d'être exemplaire…

- Oh, allez! Il n'y a personne aux alentours, ils dorment tous.

- P-A-S Q-U-E-S-T-I-O-N. C'est trop risqué…

- Oh, s'il te plaît! S'il te plaît, je t'aime tellement!

- Non, non, et non. Je t'aime aussi, mais je ne peux pas

- Oh si tu peux! Tu le peux! S'il te plaît!

- Non, non et non. Je ne peux simplement pas.

- Je t'en supplie…

- Donne-moi une seule bonne raison, dit-elle.

Le jeune homme se lance alors dans une argumentation passionnée de
15 bonnes minutes sur les besoins et pulsions masculines, d'une voix
de plus en plus rauque.

Soudain, la lumière dans l'escalier s'allume, et la p'tite sœur de la jeune
fille apparaît en pyjama, les cheveux en bataille, les yeux bouffis et leur
annonce d'une voix endormie :

- Papa m'a dit de te dire que soit tu lui fais sa pipe, soit moi, je lui fais sa
  pipe. En cas de besoin, Maman dit qu'elle peut descendre elle-même
  la lui faire. Mais par pitié dis à ce con, d'enlever sa main de l'interphone…

984

Un homme lit dans un journal que les femmes en Laponie donnent 100 dollars aux hommes chaque fois qu'ils leur font l'amour... Il dit alors à la sienne :

- Prépare ma valise, j'y vais !

Comme sa femme prépare également sa propre valise, il lui demande :

- T'y vas aussi ?

- Oui, figure-toi que je suis curieuse de voir comment tu vas vivre avec 200 dollars par mois...

985

Après avoir vu un western américain, un petit garçon à son père :

- Dis Papa, pourquoi les Indiens mettent-ils des couleurs sur leur visage ?

- Cela veut dire, mon petit, qu'ils se préparent à la guerre...

10 minutes après, le petit entre dans la chambre à coucher et voit sa maman en train de se maquiller. Alors, il revient vers son papa en courant.

- Papa, Papa ! Maman se prépare à te déclarer la guerre !

986

Une femme dans la quarantaine poursuit en vain un éternel régime. Un jour, après s'être lamentée sur son sort, elle demande à son mari :

- Qu'est-ce que tu préfères ? Avoir une femme maigre et grincheuse ou une femme grosse et joviale ?

- Combien de kilos te faut-il encore pour devenir joviale ?

Un prêtre et une nonne sont dans une tempête de neige. Après un moment, ils trouvent une petite cabane. Exténués, ils se préparent à dormir. Il y a une pile de couvertures et un duvet sur le sol, mais seulement un lit.

Gentleman, le prêtre dit :

- Ma sœur, vous dormirez dans le lit, et je dormirai sur le sol, dans le duvet.

Alors qu'il venait juste de fermer son duvet et commençait à s'endormir, la nonne lui dit :

- Mon père, j'ai froid.

Il ouvre la fermeture de son duvet, se lève, prend une couverture et la pose sur elle. De nouveau, il s'installe dans le duvet, le ferme et se laisse sombrer dans le sommeil, quand la nonne dit encore :

- Mon père, j'ai toujours très froid.

Il se lève à nouveau, met une autre couverture sur elle et retourne se coucher.

Juste au moment où il ferme les yeux, elle dit :

- Mon père, j'ai si froid.

Cette fois, il reste couché et dit :

- Ma sœur, j'ai une idée. Nous sommes ici au milieu de nulle part, et personne ne saura jamais ce qui s'est passé. Faisons comme si nous étions mariés.

Enfin exaucée, la nonne répond :

- Oui, c'est d'accord.

Et le prêtre crie :

- Alors tu lèves ton cul et tu la prends toi-même ta foutue couverture, épaisse !

988

Une fois c'est un gars...

Une fois c'est un gars qui se promène tranquillement sur la plage.

Tout à coup, il s'enfarge dans une bouteille.

Quand il ouvre la bouteille, un génie sort et lui accorde trois vœux pour le remercier de l'avoir libéré.

- Pour mon premier vœu, j'aimerais que tu me donnes plus d'intelligence, demande l'homme.

Le génie claque des doigts et l'homme se tient soudain la tête à deux mains.

- Wow, je capote ! C'est incroyable, c'est vrai que ça marche ! J'en veux plus !

- Je fais tout de suite mon deuxième vœu... donne-moi encore plus d'intelligence !

Le génie claque encore des doigts et l'homme est encore plus content.

- Wow, c'est écœurant ! Je comprends maintenant des concepts dont je n'avais aucune idée avant ! C'est trop cool !

- Comme troisième vœu, je veux que tu m'en donnes encore plus !

Le génie se gratte le menton et hésite :

- Moi, ça ne me dérange pas, Maître, mais si je t'en donne plus, tu vas être menstrué à chaque mois...

989

Une femme rentre chez elle et dit à son mari :

- La concierge m'a déclaré que la blondasse du premier avait couché avec tous les hommes de l'immeuble sauf un !

Et le mari lui répond :

- Qui est-ce ?

990

Lisez ce qui suit très attentivement à haute voix :

- Ceci est ceci chat.
- Ceci est est chat.
- Ceci est une chat.
- Ceci est manière chat.
- Ceci est de chat.
- Ceci est tenir chat.
- Ceci est un chat.
- Ceci est con chat.
- Ceci est occupé chat.
- Ceci est pendant chat.
- Ceci est au chat.
- Ceci est moins chat.
- Ceci est 20 chats.
- Ceci est secondes chat.

Maintenant, vous vous demandez quelle est cette stupidité, hein ? Eh bien, revenez en arrière et lisez le troisième mot de chaque ligne à partir du début... Sans rancune...

991

Une petite fille parle à sa mère pendant un mariage :
- Maman, pourquoi la mariée est-elle en blanc ?
- Parce que le blanc est la couleur du bonheur, et aujourd'hui, c'est le plus beau jour de sa vie !
- Alors, pourquoi le mari est-il en noir ?

992

Deux amis discutent le lundi matin :

- T'en fais une tête !

- Ne m'en parle pas ! Ma femme veut divorcer

- Qu'est-ce que tu lui as fait ?

- Mais rien, je n'y comprends rien ! Figure-toi qu'hier soir, je sors du café du village, pour une fois pas trop tard, et je file chez moi. En arrivant, ma femme m'accueille, habillée seulement de sous-vêtements très sexys et elle tenait deux petites cordes en velours...

Elle me dit :

- Attache-moi, et tu pourras faire tout ce que tu veux après...

- Donc, je l'ai attachée... Et je suis retourné prendre une bière avec mes chums...

993

Après 25 ans de mariage, j'ai regardé ma femme et lui ai dit :

- Chérie, il y a 25 ans, on avait un petit appartement, une vieille voiture, on dormait sur le sofa en regardant la télé en noir et blanc de 10 pouces. MAIS je dormais avec une belle jeune blonde de 25 ans. Maintenant, on a une maison d'un demi million, une Mercedes de 75 000 $, un lit King, une télé couleur à écran plat de 50 pouces. MAIS, je dors avec une vieille de 50 ans.

La femme réplique :

- T'as juste à te trouver une jeune blonde de 25 ans et je vais faire en sorte que tu vives dans un petit appartement avec une vieille voiture et que tu dormes sur un sofa en regardant une télé noir et blanc de 10 pouces !

994

Un homme part en voyage d'affaires pendant les fêtes de Noël et décide d'envoyer un cadeau à sa femme.

Le colis arrive alors chez son épouse.

Elle l'ouvre, et c'est un pantalon sur lequel il est écrit sur la jambe droite, «Joyeux Noël» et sur la jambe gauche, «Bonne année».

Au téléphone, sa femme le remercie pour son cadeau et rajoute :

- J'espère que tu viendras me voir entre les fêtes.

995

Quel est le seul instrument à vent à une seule corde ?

Le string.

996

Fin d'après-midi, un gynécologue attend une dernière patiente qui n'arrive pas. Au bout d'une heure, il conclut qu'elle ne viendra pas et se sert un apéritif pour se détendre de sa journée avant de fermer son cabinet. Il s'installe confortablement dans un fauteuil et commence à lire son journal lorsque la sonnette retentit.

Sa patiente arrive et présente ses excuses pour son retard.

- Ce n'est pas grave chère madame, répond le médecin, vous voyez, je vous attendais en dégustant un petit verre. Désirez-vous en prendre un également avant que je vous examine ?

- Volontiers, répond-elle.

Il lui sert un verre, s'assied en face d'elle et ils se mettent à discuter.

Soudain un bruit de clé se fait entendre à la porte d'entrée. Le médecin sursaute, se lève brusquement et dit :

- Ma femme ! Vite, déshabillez-vous et écartez les jambes.

997

Un monsieur de 75 ans se fait examiner par son médecin. Tout est Ok, mais avant de partir, le médecin lui demande:

- Et la sexualité, monsieur Marcel?

- Ben ça va, mais quand je fais l'amour la deuxième fois, je suis en sueur.

- Allons monsieur Marcel, vous savez, à votre âge, c'est normal! C'est même extraordinaire que vous puissiez le faire deux fois.

Le vieux:

- À bien y penser, oui, c'est vrai qu'il fait plutôt frais en janvier et plutôt chaud en juillet!

998

Un couple avec un enfant qui, pour pouvoir se communiquer ses envies sexuelles, le fait à l'aide d'un code basé sur le lavage.

Un soir, alors que l'homme a envie, il dit à son fils:

- Va dire à ta mère qu'il serait temps qu'elle fasse mon lavage!

Le fils court le dire à sa mère. Elle, par contre, elle n'a pas du tout envie. Elle répond donc à son fils:

- Va dire à ton père que la laveuse est brisée, que je vais faire son lavage une autre fois.

Le petit gars passe le message à son père. Le lendemain, la femme a envie, et elle dit à son fils:

- Va dire à ton père que la laveuse est réparée et que je vais faire son lavage.

Le garçon s'exécute et son père lui répond:

- Pff! Va dire à ta mère que ça fait un bout de temps que j'ai fait mon lavage à la main!

999

Une jeune femme en manque va dans un magasin de sexe dans le but de s'acheter un vibrateur. Elle demande au vendeur de lui offrir ce qu'il y a de meilleur. Le vendeur lui sort le tout dernier modèle de vibrateur, le «pénis vaudou». Puis, il explique à sa cliente le fonctionnement du vibrateur:

- Ce vibrateur est révolutionnaire. Vous n'avez qu'à dire «pénis vaudou» deux fois, puis l'endroit où vous voulez qu'il aille, et il y ira.

La jeune femme, sceptique, demande si elle peut l'essayer. Elle dit:

- Pénis vaudou, pénis vaudou, dans ma main.

Le vibrateur se rend aussitôt dans sa main, ce qui convainc la jeune femme de l'acheter.

En entrant dans sa voiture, elle a l'idée de l'essayer sérieusement tout en conduisant:

- Pénis vaudou, pénis vaudou, entre mes deux jambes.

Un peu plus tard, comme la jeune femme roulait en zigzag, un policier l'interpelle:

- Vous devez être très saoule madame, pour conduire de cette façon.

Et elle répond:

- Ce n'est pas ma faute, c'est le pénis vaudou!

Le policier, qui n'aime pas qu'on se moque de lui, répond en riant:

- Pénis vaudou? Pénis vaudou, mon cul!

1000

Un couple marié est invité à un bal masqué. Juste au moment de partir, la femme est prise d'une violente migraine. Elle dit à son mari d'aller à la fête sans elle. Le mari insiste mais la femme n'est vraiment pas bien avec son mal de tête, alors le mari enfile son déguisement et s'en va, tandis que la femme prend une aspirine et va se coucher.

Après avoir dormi un peu, la femme se réveille en pleine forme et sans migraine. Elle décide d'aller rejoindre son mari à la fête. Comme elle est un peu soupçonneuse, elle se dit qu'elle va le surprendre en se déguisant avec un autre costume que celui qu'elle avait prévu.

Une fois arrivée à la fête, elle repère son mari : il est en train de danser avec une fille, puis encore une autre, puis une autre encore et ce, toujours très lascivement... Elle veut en savoir plus, et voir jusqu'où il est capable d'aller. Elle l'aborde (il ne la reconnaît pas) et l'invite à danser. Elle lui susurre à l'oreille qu'ils pourraient s'isoler un petit peu, ce qu'ils font en allant directement faire l'amour dans l'une des pièces de la maison. L'affaire faite, la femme s'en va précipitamment et rentre chez elle.

Le mari rentre un peu plus tard. Lorsqu'il se couche, sa femme lui demande :

- Alors comment était la fête ?

Il répond :

- Ce n'était pas drôle sans toi, chérie.

Elle dit :

- Je ne te crois pas, je parie plutôt que tu as bien rigolé !

Il répond :

- Non je t'assure. Quand je suis arrivé, il n'y avait pas d'ambiance, alors quelques gars qui étaient là et moi, on a décidé d'aller jouer au poker dans la cuisine… Mais par contre, j'ai passé mon costume à un autre gars, et lui m'a dit qu'il s'était bien marré !

1001

Une fée dit à un couple marié :

- Pour avoir été un couple si exemplaire depuis 25 ans, je vous accorde à chacun un vœu.

La femme dit alors :

- Je voudrais faire le tour du monde avec mon mari adoré.

La fée agite sa baguette magique, et abracadabra, des billets d'avion apparaissent dans la main de la femme.

Maintenant, c'est au tour du mari :

- Euh... c'est un instant très romantique, mais une opportunité comme celle-là n'arrive qu'une fois dans la vie... alors, je suis désolé ma chérie, mais j'aimerais avoir une femme 30 ans plus jeune que moi.

La femme est terriblement déçue, mais un vœu est un vœu.

La fée fait un cercle avec sa baguette magique... abracadabra !

Soudain, le mari a 90 ans !

MES BLAGUES

_____

_____

_____

_____

_____

_____

_____

_____

_____

_____

_____

_____

_____

_____

_____

_____

_____

_____

_____

_____

_____

_____

_____

_____

_____

_____

MES BLAGUES

_____

_____

_____

_____

_____

_____

_____

_____

_____

_____

_____

_____

_____

_____

_____

_____

_____

_____

_____

_____

_____

_____

_____

_____

_____

MES BLAGUES